LA PÂTISSERIE

À JÉRÔME

LA PÂTISSERIE

MARIANNE MAGNIER-MORENO
PHOTOGRAPHIES DE FRÉDÉRIC LUCANO • STYLISME DE SONIA LUCANO

✱ ✱ ✱

MARABOUT

AVANT-PROPOS

J'aime la pâtisserie mais il est arrivé, souvent, que la pâtisserie ne m'aime pas.

J'avais beau essayer d'obtenir des scones bien hauts et rebondis, ils étaient plats. J'avais beau essayer de produire une belle texture de mousse au chocolat : elle était trop dense, ou trop sèche... Face à ces dizaines d'échecs d'autant plus frustrants que je suivais scrupuleusement les recettes, quelque chose me faisait néanmoins garder espoir : au milieu de mes scones plats, il y en avait toujours un nettement plus haut que les autres ; parmi mes mousses au chocolat râtées, l'une d'entre elles semblait parfois me murmurer « Tu es sur la bonne piste ». « La bonne piste » peut-être... mais laquelle ? La mousse restait muette, le scone implacable. J'étais au pied du mur.

Or en pâtisserie, ce « mur » s'appelle « livres », « recettes », « cours et séminaires pour professionnels et amateurs ». Bref « le mur de l'apprenti pâtissier » est cet océan de conseils, de trucs parfois contradictoires et souvent faux dans lequel il faut se résoudre à plonger si l'on veut découvrir le « dessous des cartes ». Je plongeai.

De fil en aiguille, de fouets en nappages, je trouvai mon chemin à travers le dédale pâtissier. Il fallut prendre en note, comparer, synthétiser et surtout, expérimenter sans cesse. Des trouvailles jaillirent, des équilibres furent établis et, en dernier recours, de précieux conseils de chefs-pâtissiers ne tombèrent pas dans l'oreille d'une sourde... Comme le secret de la mousse au chocolat : « Tes blancs en neige doivent être souples et non fermes si tu veux les incorporer facilement au chocolat ; le mélange chocolat-œufs-beurre doit être tiède et tes blancs doivent être à température ambiante. » Littéralement, je courus jusque chez moi mettre en pratique. J'attendis les heures nécessaires non loin de mon réfrigérateur et, quelques minutes avant l'heure dite... goûtai la mousse au chocolat enfin réussie ! Pour les scones, ce fut un livre américain qui me mit sur la piste de la texture idéale : « La pâte doit être épaisse, les scones doivent être petits (3 à 4 cm maximum) et le four très chaud (au moins 220 °C) ». Miraculeusement, les scones sortirent hauts et fiers de mon four et – test suprême – se fendirent en deux d'une seule pression de mes pouces.

Ce livre que vous tenez dans vos mains aujourd'hui est le fruit de mes investigations aussi patientes que passionnées. Il a donc pour moi une valeur spéciale, ce qui je l'espère, sera aussi le cas pour vous une fois que vous en aurez essayé les recettes... Ma volonté est bien sûr de vous transmettre les recettes des meilleures pâtisseries françaises et anglo-saxonnes mais surtout, de vous les donner avec cette multitude de petits détails sans lesquels en pâtisserie il n'est point de magie.

Marianne Magnier-Moreno

SOMMAIRE

1

LES CRÈMES ET CIE

2

LES GÂTEAUX TOUT SIMPLES

3

LES GÂTEAUX EN KIT

4

LES PETITS GÂTEAUX

5

LES TARTES

ANNEXES

LES CRÈMES & CIE

LES CRÈMES

LES SAUCES ET LES TOPPINGS

01

LA CRÈME ANGLAISE

POUR 400 G • PRÉPARATION : 15 MINUTES • CUISSON : 15 MINUTES

30 cl de lait
1 gousse de vanille
3 jaunes d'œufs
60 g de sucre

AU PRÉALABLE :
Chauffer doucement le lait dans une casserole, avec la gousse de vanille fendue et grattée.

Laisser infuser (idéalement 10 minutes) puis porter à ébullition. Enlever la gousse de vanille.

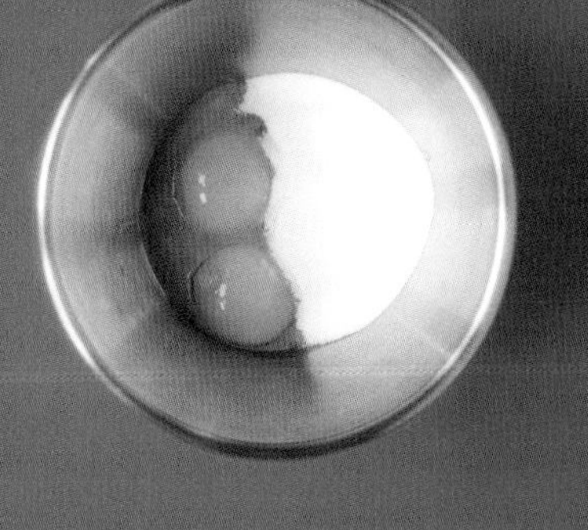

1 2

3 4

1	Mettre les jaunes d'œufs avec le sucre dans un petit récipient.	2	Les fouetter vivement jusqu'à ce que le mélange blanchisse et épaississe un peu.	
3	Verser la moitié du lait bouillant en filet mince sur les jaunes d'œufs, tout en fouettant.	4	Transvaser le tout dans la casserole sur feu moyen et faire épaissir la crème en mélangeant constamment.	➢

01

ATTENTION	LE TRUC
☛ Bien gratter le fond et les angles de la casserole avec une spatule : c'est là que la température est la plus chaude et que le risque de coagulation* des jaunes d'œufs est le plus grand. Plus la crème chauffe et plus elle sera onctueuse, mais plus elle risque aussi de bouillir et donc de coaguler.	Surveiller la fine pellicule mousseuse qui s'est formée lors du mélange lait/œufs. Quand cette mousse disparaît, on approche des 90 °C, température à laquelle on doit arrêter la cuisson.

POUR VÉRIFIER LA CUISSON	REFROIDISSEMENT
Tremper une cuillère dans la crème puis passer un doigt dessus : il doit laisser une trace nettement visible. La crème est prête !	Filtrer la crème anglaise dans une passoire à maille fine au-dessus d'un récipient et laisser refroidir en mélangeant de temps en temps. Couvrir et réserver au réfrigérateur (pas plus de 24 heures).

02

LA CRÈME PÂTISSIÈRE

POUR 700 G • PRÉPARATION : 10 MINUTES • CUISSON : 10 MINUTES

50 cl de lait entier
6 jaunes d'œufs
100 g de sucre
50 g de farine T.45

AU CHOIX POUR PARFUMER :
36 g de pralin
ou 3 petites cuillerées d'extrait de café (6 g)
ou 120 g de chocolat fondu

1	Porter le lait à ébullition dans une casserole. Pendant ce temps, fouetter les jaunes avec le sucre (crème onctueuse). Incorporer la farine.	2	Verser la moitié du lait bouillant sur les jaunes, tout en fouettant. Reverser dans la casserole sans cesser de fouetter (racler bien le fond).
3	En fouettant toujours, laisser bouillir de 30 secondes à 2 minutes, en fonction de la consistance recherchée : plus la crème bout, plus elle sera épaisse.	4	Transférer la crème dans un récipient pour l'aromatiser. Poser un film directement dessus, laisser refroidir complètement et placer au réfrigérateur.

03

LA CRÈME AU BEURRE

POUR 300 G • PRÉPARATION : 20 MINUTES • CUISSON : 5 MINUTES

125 g de beurre
100 g de sucre
20 g d'eau
1 œuf entier

1 jaune
4 g d'extrait de vanille
ou 2 g d'extrait de vanille
+ 3 g d'extrait de café

AU PRÉALABLE :
Faire ramollir le beurre en pommade*
puis le fouetter pendant 2 ou 3 secondes.
Fouetter l'œuf entier et le jaune dans
un récipient à bec verseur.

1 2 3

4 5 6

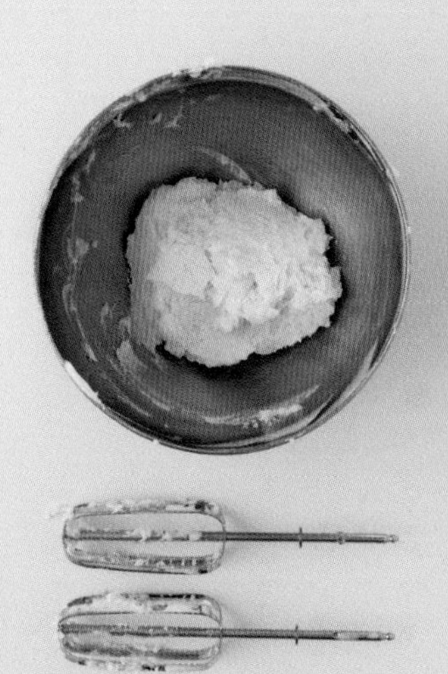

1	Verser l'eau puis le sucre dans une casserole.	2	Cuire au boulé*. Verser le sucre cuit sur les œufs. Battre aussitôt au fouet électrique.	3	Battre jusqu'à ce que le mélange soit complètement froid et triple de volume.
4	Verser en filet sur le beurre pommade* tout en battant lentement au fouet électrique.	5	Parfumer la crème (vanille ou vanille et café) et fouetter encore.	6	Utiliser immédiatement.

04

LA CRÈME D'AMANDES

POUR 300 G • PRÉPARATION : 15 MINUTES

85 g d'amandes en poudre
85 g de beurre mou
85 g de sucre glace

1 œuf entier
8 g de Maïzena
8 g de rhum

1 2
3 4

1	Avec une cuillère en bois, travailler le beurre en pommade* dans un récipient de taille moyenne.	2	Verser le sucre glace et la poudre d'amandes dans une passoire à maille fine (ou tamis). Saupoudrer le tout sur le beurre mou.
3	Mélanger à la cuillère en bois. La préparation ressemble alors à du sable mouillé et il peut rester des petits morceaux de beurre. Ajouter l'œuf et bien mélanger.	4	Quand la pâte est homogène*, incorporer la Maïzena et le rhum. Couvrir d'un film plastique et mettre au réfrigérateur.

05

LE LEMON CURD

POUR 300 G • PRÉPARATION : 15 MINUTES • CUISSON : 5 À 10 MINUTES

80 g de jus de citron (1 ou 2 citrons)
Le zeste de 1/2 citron
125 g de sucre

4 jaunes d'œufs
(sans aucune trace des blancs)
60 g de beurre

CONSERVATION :
Quand le lemon curd est complètement refroidi, le mettre dans un bocal couvert. Il se garde deux semaines au réfrigérateur.

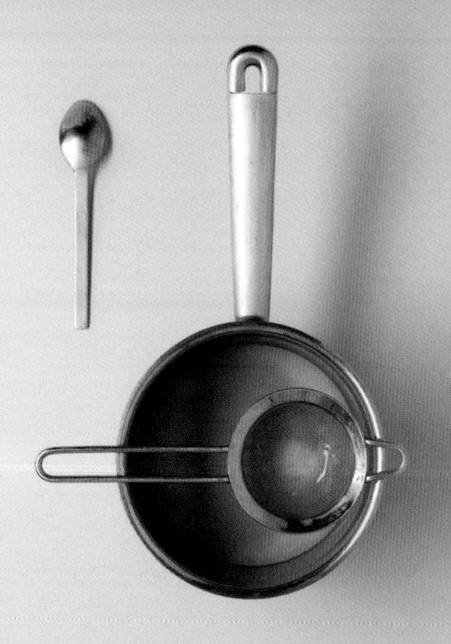

05

1 2
3 4

1	Battre les jaunes d'œufs dans un bol puis les verser dans une casserole en les passant dans un tamis fin.	2	Incorporer le jus de citron et le sucre. Mettre sur feu moyen et mélanger 5 à 10 minutes à la maryse en raclant les bords de la casserole.
3	Passer le doigt sur la maryse : la trace doit être bien visible. Arrêter alors la cuisson. Le curd va continuer à épaissir en refroidissant.	4	Hors du feu, incorporer le zeste de citron et le beurre coupé en dés. Faire refroidir dans un autre récipient.

MOUSSE AU CHOCOLAT

POUR 300 G • PRÉPARATION : 20 MINUTES • CUISSON : 5 MINUTES • RÉFRIGÉRATION : 2 HEURES

125 g de chocolat à 52 % de cacao minimum
50 g de beurre demi-sel
2 jaunes d'œufs
20 g de sucre semoule
3 blancs d'œufs

AU PRÉALABLE :
Couper le beurre en petits morceaux.
Si les œufs sont froids, les plonger quelques minutes dans un récipient rempli d'eau chaude (voir glossaire : mélange).

1	Casser le chocolat en morceaux et le faire fondre à feu très doux.	2	Ajouter le beurre et l'incorporer au fouet. Retirer du feu.	3	Ajouter les jaunes d'œufs l'un après l'autre, en fouettant bien. Laisser tiédir.
4	Monter les blancs en neige souple tout en versant le sucre à mi-parcours.	5	Incorporer 1/4 des blancs au chocolat. Verser cette crème sur les blancs. Incorporer à la maryse.	6	Transférer la mousse dans des ramequins individuels. Laisser prendre 2 heures au moins au réfrigérateur.

LA GANACHE CHOCOLAT

→ **POUR 100 G** • PRÉPARATION : 5 MINUTES • CUISSON : 10 MINUTES ←

50 g de chocolat à 52 % de cacao
15 g de crème liquide
50 g de lait entier

1	Faire bouillir la crème et le lait dans une petite casserole.	2	Hors du feu, ajouter le chocolat et mélanger jusqu'à ce qu'il soit fondu.
3	Remettre sur feu moyen et cuire 2 minutes à partir de l'ébullition, en mélangeant avec une maryse.	4	Utiliser tout de suite ou transvaser dans un petit récipient, poser un film directement sur la ganache et laisser refroidir au réfrigérateur.

08

PANNACOTTA

POUR 4 PERSONNES • PRÉPARATION : 15 MINUTES • CUISSON : 7 MINUTES • RÉFRIGÉRATION : 2 HEURES MINIMUM

40 cl de crème liquide
60 g de sucre
1 gousse de vanille
2 feuilles de gélatine (4 g)

AU PRÉALABLE :
Faire ramollir la gélatine dans de l'eau froide.

Fendre la gousse de vanille et la mettre dans une casserole avec la crème.

1	Fairc chauffer la crème 5 minutes à feu moyen avec la gousse de vanille.	2	Quand la crème est fumante, ajouter le sucre et fouetter pour le dissoudre.	3	Monter la température du feu. Dès que la crème frémit, retirer la casserole du feu.
4	Attendre 1 minute, retirer la gousse de vanille et ajouter la gélatine bien essorée (la presser entre les doigts).	5	Fouetter vigoureusement pour qu'elle soit bien incorporée.	6	Laisser tiédir 5 min en fouettant 1 ou 2 fois pour éviter qu'une peau se forme. ➢

7

Répartir délicatement la crème dans quatre ramequins (en fouettant souvent pour que les graines de vanille soient réparties également). Quand les crèmes sont revenues à température ambiante, les couvrir de film alimentaire et les réfrigérer au moins 2 heures.

POUR VÉRIFIER SI LA PANNACOTTA EST PRISE

Sortir une pannacotta du réfrigérateur et la secouer légèrement : la crème est bien prise si elle ne tremble plus quand on agite le ramequin. On peut alors la démouler ou la remettre au réfrigérateur jusqu'au moment de servir.

8	Pour démouler les pannacotta, faire bouillir de l'eau et la verser dans un récipient résistant à la chaleur. Retirer le film alimentaire. Plonger le ramequin (sans aller jusqu'en haut) dans l'eau très chaude. Attendre 8 à 10 secondes avant de le sortir de l'eau et le retourner sur une assiette. Attendre que la pannacotta tombe en secouant légèrement.	**ATTENTION** Avec des moules moins épais que les ramequins, la chaleur de l'eau va chauffer les moules plus rapidement. Il ne faut pas les laisser dans l'eau chaude plus de 3 à 5 secondes.

09

LE CARAMEL

POUR 100 G • PRÉPARATION : 5 MINUTES • CUISSON : 5 MINUTES

100 g de sucre
30 g d'eau

USTENSILE :
Prévoir un pinceau à pâtisserie pour passer de l'eau sur les parois de la casserole : cela permet de décoller les cristaux de sucre.

ASTUCE :
Pour nettoyer la casserole, la remplir d'eau et porter à ébullition. Fouetter pour décoller le caramel et jeter le tout.

1	Verser l’eau puis le sucre dans une casserole à fond épais.	2	Chauffer doucement et fouetter jusqu’à ce que le sucre soit dissous.	3	Porter à ébullition tout en brossant les parois avec un pinceau mouillé.
4	Dès que l’ébullition est atteinte, ne plus toucher à la casserole et laisser le caramel colorer.	5	Stopper la cuisson en plongeant le fond de la casserole quelques secondes dans de l’eau froide.	6	Utiliser rapidement : le caramel durcit en refroidissant, ce qui le rend difficilement utilisable.

SAUCE CARAMEL BEURRE SALÉ

POUR 200 G • PRÉPARATION : 5 MINUTES • CUISSON : 10 MINUTES

100 g de sucre
30 ml d'eau
100 g de crème liquide
15 g de beurre salé

AU PRÉALABLE :
Couper le beurre en morceaux.

1	Faire chauffer la crème à feu moyen dans une petite casserole.	2	Verser l'eau puis le sucre dans une petite casserole à fond épais.	3	Fouetter à feu doux jusqu'à ce que le sucre soit dissous.
4	Porter à ébullition. Arrêter aussitôt de remuer et laisser le caramel prendre une teinte acajou.	5	Ajouter la crème chaude en une fois. Mélanger au fouet et laisser 2 minutes sur feu moyen.	6	Hors du feu, incorporer le beurre salé. Mélanger et laisser refroidir (le caramel va épaissir).

11

LA SAUCE AU CHOCOLAT

POUR 300 G • PRÉPARATION : 5 MINUTES • CUISSON : 5 MINUTES

110 g de chocolat
90 g de lait
100 g de crème liquide

AU PRÉALABLE :
Couper le chocolat en morceaux.

1	Porter à ébullition le lait et la crème liquide.	2	Retirer du feu la casserole pour ajouter le chocolat en morceaux.
3	Mélanger à l'aide d'une maryse jusqu'à ce que le chocolat soit complètement fondu.	4	Remettre sur le feu. Retirer du feu dès les tout premiers frémissements. Utiliser rapidement.

COULIS DE FRUITS ROUGES

POUR 200 G • DÉCONGÉLATION : 10 MINUTES • PRÉPARATION : 5 MINUTES • CUISSON : 1 MINUTE

200 g de fruits rouges surgelés
50 g de sucre
1 g de sel
6 g de jus de citron

AU PRÉALABLE :
Faire décongeler les fruits au bain-marie*.

12

1	Verser le sucre et le sel sur les fruits décongelés toujours au bain-marie* et mélanger à peu près 1 minute pour dissoudre sel et sucre.	2	Transférer le tout dans la cuve d'un robot équipé d'une lame et mixer 20 secondes environ. Le mélange doit être homogène.
3	Filtrer dans une passoire à maille fine en écrasant la purée de fruits à l'aide d'une maryse pour en extraire tout le jus.	4	Ajouter le jus de citron. Bien mélanger, couvrir et mettre au moins 1 heure au réfrigérateur. Ce coulis se garde 4 jours au réfrigérateur.

COMPOTÉE DE FRUITS ROUGES

POUR 250 G • DÉCONGÉLATION : 10 MINUTES • PRÉPARATION : 10 MINUTES • CUISSON : 5 MINUTES

230 g de fruits rouges surgelés
20 g de sucre
6 g de miel (1 petite cuillerée à soupe)
8 g de vinaigre balsamique (1 cuillerée à soupe)

AU PRÉALABLE :
Mettre les fruits surgelés dans un récipient résistant à la chaleur que l'on pose sur une casserole d'eau bouillante. Couvrir de film alimentaire et laisser décongeler : compter à peu près 10 minutes en remuant une fois au bout de 5 minutes.

1	Égoutter les fruits et réserver le jus. Dans une casserole, mélanger le jus des fruits (40 ml) avec le sucre, le miel et le vinaigre. Faire dissoudre le sucre à feu moyen en fouettant.	2	Porter à ébullition pour faire épaissir. Pour vérifier la cuisson, plonger une petite cuillère dans la casserole et la ressortir aussitôt : le sirop doit napper* le dos de la cuillère.
3	Laisser tiédir avant d'ajouter les fruits égouttés. Le sirop va encore épaissir en refroidissant.	4	Mélanger. Quand la compotée est froide, la couvrir d'un film alimentaire et la ranger au réfrigérateur.

LA CRÈME CHANTILLY

POUR 550 G • PRÉPARATION : 10 MINUTES

50 cl de crème liquide froide (idéalement de la crème liquide fraîche dite crème fleurette)
50 g de sucre glace
1 gousse de vanille

AU PRÉALABLE :
Préparer un récipient d'une taille supérieure à celle du saladier avec des glaçons et de l'eau bien froide.

ASTUCE :
Pour monter une petite quantité de crème en chantilly, utiliser un récipient étroit à bords hauts (dans ce cas, pas besoin de bain d'eau froide).

1

3

1	Peser le sucre glace dans un saladier moyen et ajouter les graines de la gousse de vanille.	2	Plonger le fond du saladier dans l'eau glacée et verser la crème froide sur le sucre et les graines de vanille.
3	Incliner le saladier pour incorporer le plus d'air possible et fouetter au fouet électrique, à la vitesse maximale.	**CHANTILLY EN SIPHON**	Verser dans le siphon* la crème, le sucre et les grains de vanille. Fermer et placer la capsule de gaz. Secouer énergiquement.

15

GLAÇAGE NATURE

POUR 100 G • PRÉPARATION : 5 MINUTES

1 demi-blanc d'œuf
100 g de sucre glace
1 cuillerée à café de jus de citron

POUR UN GLAÇAGE PLUS ÉPAIS :
On peut rajouter jusqu'à 25 g de sucre glace (en plusieurs fois).

CONSERVATION :
Quelques jours au réfrigérateur ou un mois au congélateur, dans un récipient couvert. Après réfrigération, le retravailler avec un peu de sucre glace.

1 2
3 4

1	Mettre le blanc d'œuf dans un récipient avant d'ajouter les 100 g de sucre glace.	2	Mélanger à la spatule pendant 2 minutes. On obtient une crème blanche.
3	Incorporer le jus de citron tout à la fin et battre encore 10 secondes.	4	Couler le glaçage sur le gâteau, étaler à la spatule longue et attendre quelques minutes pour que le glaçage fige avant de servir.

GLAÇAGE AU CHOCOLAT

POUR 200 G DE GLAÇAGE • PRÉPARATION : 5 MINUTES • CUISSON : 10 MINUTES

100 g de chocolat
40 g de beurre
3 cuillerées à soupe d'eau
80 g de sucre glace

AU PRÉALABLE :
Couper le beurre et le chocolat en morceaux.

1	Faire fondre le chocolat à feu très doux ou au bain-marie*, lisser à la maryse.	2	Toujours à feu très doux ou au bain-marie*, ajouter le sucre glace et le beurre. Faire fondre le tout en mélangeant.
3	Retirer du feu et ajouter l'eau 1 cuillerée à la fois. Si le glaçage n'est pas assez onctueux, le remettre à feu doux et bien mélanger. Laisser juste tiédir (trop froid, il ne s'étale pas bien).	4	Étaler une couche assez épaisse de glaçage sur le gâteau, en travaillant avec une spatule plate (ou palette). Attention aux traces de doigts car ce glaçage ne durcit pas complètement.

LES GÂTEAUX TOUT SIMPLES

2

LES GÂTEAUX CLASSIQUES

LES GÂTEAUX AU CHOCOLAT

MADE IN U.S.

GÂTEAU AU YAOURT

POUR 8 PERSONNES • PRÉPARATION : 15 MINUTES • CUISSON : 35 MINUTES

3 œufs
1 yaourt nature
120 g (1 pot) d'huile de tournesol + un peu pour le moule
240 g (2 pots) de sucre
240 g (3 pots) de farine T.55
1/2 sachet de levure
4 g de sel
1/2 citron

AU PRÉALABLE :
Préchauffer le four à 180 °C. Huiler un moule à manqué de 22 cm de diamètre. Presser le citron et réserver son jus.

1	Casser les œufs dans un grand récipient, les battre en omelette.	2	Ajouter le yaourt et fouetter.	3	Verser l'huile et fouetter encore.
4	Incorporer le sucre en travaillant toujours au fouet. Ajouter enfin le jus de citron.	5	Mélanger la farine, la levure et le sel dans un récipient. Ajouter aux ingrédients liquides en fouettant.	6	Verser dans le moule et enfourner pour 35 minutes. Laisser refroidir sur une grille surélevée.

COMME UN QUATRE-QUARTS

POUR 8 À 10 PERSONNES • PRÉPARATION : 25 MINUTES • CUISSON : 55 MINUTES

225 g de beurre pommade*
+ 10 g pour le moule
265 g de sucre
3 œufs + 3 jaunes

10 g d'extrait de vanille
8 g d'eau
4 g de sel
180 g de farine T.45

AU PRÉALABLE :
Préchauffer le four à 165 °C et glisser une grille au milieu. Beurrer généreusement un moule à savarin et le garder au frais.

1 2

3 4

1	À l'aide d'un fouet électrique, battre le beurre jusqu'à ce qu'il soit bien lisse (15 secondes).	2	Sans cesser de fouetter, saupoudrer lentement le sucre sur le beurre (ça doit prendre environ 30 secondes). Fouetter encore 4 à 5 minutes, jusqu'à ce que le beurre soit presque blanc.	
3	Mélanger les œufs entiers et les jaunes avec l'extrait de vanille et l'eau, dans un récipient équipé d'un bec verseur.	4	Verser le tout très lentement sur le beurre fouetté, sans cesser de battre à vitesse moyenne. Ajouter le sel et fouetter encore.	➢

5	Incorporer à ce mélange d'abord un tiers de la farine. Travailler la pâte à la maryse puis incorporer le reste de la farine en deux fois, en continuant de battre délicatement la pâte à la maryse entre chaque ajout.		Verser la pâte dans le moule à savarin. Lisser la surface avec le dos d'une cuillère et enfourner pour 55 minutes.

6	Pour démouler, attendre 5 minutes après la sortie du four. Retourner le gâteau sur une assiette plate puis à nouveau sur une grille surélevée.	**LE TRUC** ☛ Pour que la texture de la pâte soit homogène, utiliser des œufs à température ambiante. S'ils sortent juste du réfrigérateur, les plonger entiers (avec la coquille) dans un bol d'eau chaude pendant quelques minutes. Si la texture de la pâte n'est pas homogène (comme c'est le cas sur la photo 5), cela est sans incidence sur le résultat final.

GÂTEAU MARBRÉ

POUR 8 PERSONNES • PRÉPARATION : 30 MINUTES • CUISSON : 1 H 05

200 de beurre
4 œufs
200 g de sucre
4 g de sel

200 g de farine T.45
2 sachets du sucre vanillé
30 g de cacao en poudre

AU PRÉALABLE :
Préchauffer le four à 180 °C et glisser une grille au milieu.
Beurrer un moule à cake de 28 cm de long.

1	Faire fondre le beurre dans une casserole. Retirer aussitôt du feu.	2	Casser les œufs dans 2 grands récipients en séparant les blancs des jaunes.	
3	Ajouter le sucre et le sel aux jaunes d'œufs. Bien mélanger avec une cuillère en bois.	4	Ajouter ensuite alternativement des petites quantités de farine et de beurre fondu.	➢

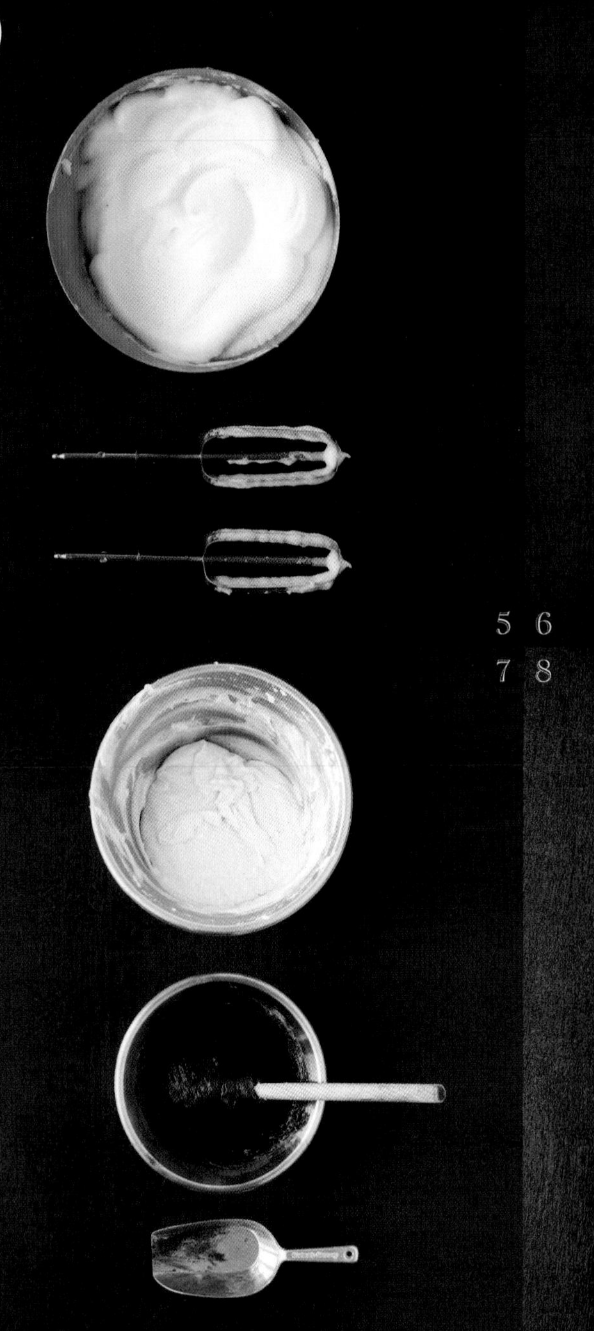

5 6

7 8

5	Monter les blancs en neige en incorporant un sachet de sucre vanillé à mi-parcours.	6	Mélanger les blancs à la pâte. Travailler avec la cuillère en bois.
7	Répartir le mélange dans deux récipients. Incorporer le cacao dans l'un et le reste du sucre vanillé dans l'autre.	8	Avec une cuillère à soupe, répartir les deux préparations dans le moule en les alternant pour donner un effet marbré.

9	Enfourner et laisser cuire 1 heure. Pour vérifier la cuisson, piquer la pointe d'un couteau au centre du gâteau : elle doit ressortir sèche.	**ASTUCE** Dans la plupart des recettes préparées avec des blancs d'œufs en neige, ces derniers doivent être incorporés délicatement à la pâte, sinon ils se « cassent ». Pour cette recette, on peut les travailler sans trop de précaution car la texture finale du gâteau est plutôt dense.

COULANTS AU CHOCOLAT

POUR 4 PERSONNES • PRÉPARATION : 15 MINUTES • CUISSON : 15 À 18 MINUTES

115 g de beurre
115 g de chocolat
115 g de sucre

4 œufs
50 g de farine T.45

AU PRÉALABLE :
Préchauffer le four à 180 °C.
Placer une grille au milieu.

1	Déposer le beurre en morceaux dans une petite casserole et mettre le chocolat en morceaux par-dessus.	2	Chauffer à feu doux et mélanger à la spatule en plastique dès que le beurre est fondu.	
3	Dès que le mélange est lisse, retirer la casserole du feu.	4	Dans un récipient muni d'un bec verseur, fouetter les œufs avec le sucre vigoureusement (le sucre doit se dissoudre).	➢

5

6 7

5	Verser le chocolat fondu sur les œufs battus Mélanger au fouet (le moins possible).	6	Ajouter la farine en trois fois, en mélangeant à la maryse.
		7	Remplir presque jusqu'en haut 4 ramequins de 7 cm de diamètre et 5 cm de hauteur. Enfourner pour 15 à 18 minutes.

TEST DE CUISSON	ASTUCE
Secouer un ramequin dans le four : son centre doit à peine réagir à la secousse. Attention ! le temps de cuisson dépend de la taille du récipient et de son épaisseur.	☛ Ce dessert peut se préparer à l'avance. Couvrir de film alimentaire chaque ramequin rempli et les mettre au réfrigérateur. Au moment voulu, retirer le papier film et faire cuire les coulants 17 à 20 minutes.

GÂTEAU CHOCO SANS FARINE

POUR 8 PERSONNES • PRÉPARATION : 20 MINUTES • CUISSON : 30 MINUTES

5 œufs
170 g de sucre
220 g de beurre + 10 g pour le moule
200 g de chocolat à 60 % de cacao
80 g de poudre d'amandes tamisée

AU PRÉALABLE :
Préchauffer le four à 180 °C.
Placer une grille au milieu.

Préparer un moule à manqué de 22 cm de diamètre (ou un moule rectangulaire) : bien le beurrer et le mettre au réfrigérateur.

1	Dans un grand récipient, battre les œufs pour casser les jaunes puis ajouter le sucre. Fouetter vigoureusement (le sucre doit se dissoudre).	2	Mettre le beurre et le chocolat dans une casserole sur feu moyen à doux. Quand le beurre a fondu, couper le feu et mélanger à la spatule jusqu'à ce que le chocolat soit fondu lui aussi.
3	Verser le chocolat sur les œufs et mélanger au fouet. Ajouter la poudre d'amandes et mélanger encore.	4	Verser la pâte dans le moule. Enfourner pour 30 minutes.

BROWNIE

POUR 8 À 10 PERSONNES • PRÉPARATION : 20 MINUTES • REPOS : 10 MINUTES • CUISSON : 30 MINUTES

120 g de noix
200 g de beurre
115 g de chocolat à 70 % de cacao
200 g de sucre

4 œufs
3 g d'extrait de vanille
140 g de farine T.45
1 g de sel

AU PRÉALABLE :
Préchauffer le four à 180 °C et mettre une grille au milieu. Beurrer un moule carré de 22 cm de côté. Couper le beurre en dés.

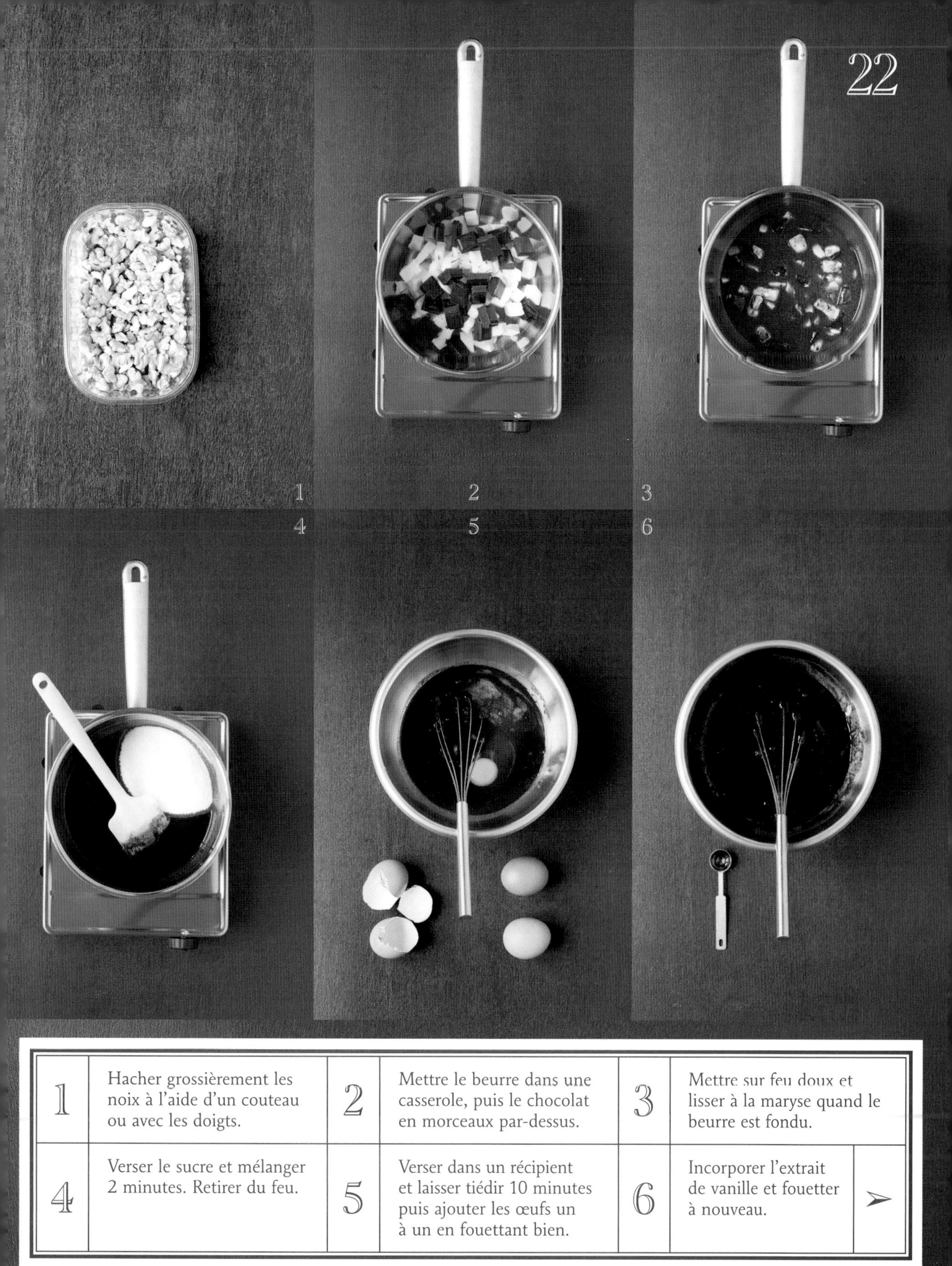

1	Hacher grossièrement les noix à l'aide d'un couteau ou avec les doigts.	2	Mettre le beurre dans une casserole, puis le chocolat en morceaux par-dessus.	3	Mettre sur feu doux et lisser à la maryse quand le beurre est fondu.	
4	Verser le sucre et mélanger 2 minutes. Retirer du feu.	5	Verser dans un récipient et laisser tiédir 10 minutes puis ajouter les œufs un à un en fouettant bien.	6	Incorporer l'extrait de vanille et fouetter à nouveau.	➢

7 8

9 10

7	Dans un autre récipient, mélanger la farine et le sel. Verser le tout sur le chocolat fondu.	8	Travailler la préparation à la maryse jusqu'à ce que l'on ne puisse presque plus distinguer de farine sèche.
9	Ajouter enfin les noix. Bien mélanger une dernière fois.	10	Verser l'appareil dans le moule et enfourner pour 30 minutes. Quand le gâteau est cuit, le faire refroidir sur une grille surélevée.

TEST DE CUISSON	CONSERVATION
Pour vérifier la cuisson, la pâte ne doit pas bouger quand on secoue le moule, mais la lame d'un couteau n'en ressort pas sèche.	Couper des brownies carrés de 6 cm de côté. On peut les envelopper individuellement dans du film plastique si on ne souhaite pas les manger tout de suite. Ils se garderont jusqu'à 4 jours au réfrigérateur.

23

GÂTEAU AU CHOCOLAT TRUFFÉ

POUR 6 PERSONNES • PRÉPARATION : 15 MINUTES • CUISSON : 35 MINUTES

3 œufs
150 g de sucre
140 g d'eau
200 g de chocolat à 52 % de cacao

135 g de beurre
20 g de farine
cacao en poudre

AU PRÉALABLE :
Préchauffer le four à 180 °C et glisser une grille au milieu et une grille en dessous avec un plat creux. Beurrer un moule à manqué de 22 cm de diamètre et garnir le fond de papier sulfurisé.

1	Casser les œufs dans un récipient, les battre en omelette et réserver.	2	Dans une casserole, faire chauffer le sucre et l'eau à feu moyen en fouettant pour dissoudre le sucre.	3	Quand le sucre est dissous, porter à ébullition puis retirer aussitôt du feu.	
4	Ajouter le chocolat en morceaux et mélanger jusqu'à ce qu'il soit fondu.	5	Ajouter ensuite le beurre en dés et mélanger pour l'incorporer complètement.	6	Attendre 5 minutes pour ajouter les œufs battus.	➢

23

7 8

9 10

7	Saupoudrer la farine sur le mélange au chocolat et l'incorporer au fouet.	8	Verser la pâte dans le moule et cuire 30 minutes au four au bain-marie* (secouer le plat pour vérifier que le centre du gâteau ne bouge plus).
9	Sortir le gâteau du four et le laisser refroidir 5 minutes sur une grille surélevée avant de le démouler sur un plat.	10	L'envelopper de papier film quand il est complètement froid.

11	Mettre le gâteau au réfrigérateur jusqu'au moment de servir (il est meilleur très froid). Tamiser du cacao en poudre dessus juste avant de servir, pour décorer.	**LA CUISSON AU FOUR AU BAIN-MARIE*** ☛ Au moment de mettre le four à préchauffer, glisser une seconde grille dans le four, sous la première. Poser dessus un plat creux résistant à la chaleur. Juste avant d'enfourner le gâteau, verser de l'eau chaude dans le plat creux.

CARROT CAKE

POUR 8 PERSONNES • PRÉPARATION : 20 MINUTES • CUISSON : 55 MINUTES

180 g de farine T.55
4 g de levure
4 g de bicarbonate
4 g de cannelle en poudre
4 g de quatre-épices
4 g de sel

3 œufs et 210 g de sucre
140 g d'huile de tournesol
60 g de compote de pommes
225 g de carottes râpées
50 g de noix grossièrement hachées
45 g de raisins secs

AU PRÉALABLE :
Préchauffer le four à 180 °C et glisser une grille au milieu. Beurrer un moule à cake de 28 cm de long.

1	Mélanger dans un récipient la farine, le bicarbonate, la levure, les épices et le sel. Faire un puits au milieu.	2	Dans un autre récipient, fouetter les œufs afin de briser les jaunes.	3	Ajouter le sucre et fouetter pour obtenir une consistance crémeuse.	
4	Verser l'huile en filet, comme pour une mayonnaise.	5	Ajouter ensuite la compote de pommes.	6	Verser ce mélange sur la farine, dans le puits.	➢

7	Mélanger à l'aide d'une maryse et, à mi-parcours, ajouter les carottes râpées, les noix et les raisins. Continuer de travailler la pâte jusqu'à ce qu'elle soit homogène. La verser dans le moule à cake.	**LE TRUC** ☛ Pour chasser les bulles d'air dans la pâte et bien la tasser dans le moule, tapoter ce dernier sur le plan de travail.

8

Faire cuire le gâteau 55 minutes au four. Quand il est cuit, passer la lame d'un couteau entre le gâteau et le moule. Laisser reposer 15 minutes avant de le démouler sur une grille surélevée. Pour le glaçage, attendre qu'il soit complètement froid. Pour servir, le couper en tranches épaisses de 2 cm environ.

VÉRIFIER LA CUISSON

☛ Quand le gâteau est cuit, sa couleur doit être brun foncé à roux. Piquer la pointe d'un couteau au centre pour vérifier la cuisson : elle doit ressortir complètement sèche.

LE GLAÇAGE DU CARROT CAKE

PRÉPARATION : 10 MINUTES

75 g de fromage à tartiner nature
25 g de beurre
2 g de jus de citron
3 g d'extrait de vanille
50 g de sucre glace tamisé*

AU PRÉALABLE :
Travailler le beurre coupé en morceaux en pommade*.

1 2

3 4

1	Travailler à la spatule le fromage à tartiner et le beurre ramolli pour qu'ils soient parfaitement lisses.	2	Les mettre dans la cuve d'un robot ménager, ajouter le jus de citron et l'extrait de vanille, mixer 5 secondes maximum. Racler les bords de la cuve avec une spatule.
3	Ajouter le sucre glace et mixer à nouveau, jusqu'à ce que l'ensemble soit crémeux (10 secondes maximum).	4	Couvrir de film alimentaire et garder au réfrigérateur (4 jours maximum). Étaler au dernier moment sur le gâteau.

25

BANANA NUT BREAD

POUR 8 À 10 PERSONNES • PRÉPARATION : 25 MINUTES • CUISSON : 50 MINUTES À 1 HEURE

150 de beurre pommade*
150 g de sucre
3 œufs à température ambiante (mélange ingrédients liquides *)
4 bananes

9 g d'extrait de vanille
330 g de farine T.55
9 g de levure
75 g de noix

AU PRÉALABLE :
Préchauffer le four à 165 °C.

1 2

3 4

1	Fouetter le beurre pendant 15 secondes au batteur électrique puis ajouter le sucre.	2	Battre encore quelques minutes, toujours au fouet électrique. On doit obtenir un mélange pâle, léger et aéré.	
3	Battre les œufs en omelette dans un récipient (si possible équipé d'un bec verseur) et les verser très lentement sur le mélange beurre-sucre, en continuant de fouetter à vitesse moyenne.	4	Écraser les bananes à la fourchette et les ajouter avec l'extrait de vanille dans le mélange précédent. Travailler cette fois au fouet manuel.	➢

5	Hacher les noix grossièrement et les mettre dans un récipient. Ajouter la farine et la levure. Bien mélanger.		Incorporer ces ingrédients secs au mélange à la banane en travaillant la pâte avec une maryse pour la rendre homogène.

6	Verser la pâte dans un moule antiadhésif ou beurré. Poser ce moule sur une plaque à pâtisserie. Enfourner pour 50 minutes à 1 heure. Quand le gâteau est cuit, attendre 15 minutes avant de le démouler. Déguster nature, en tranches pas trop épaisses, ou avec du beurre et de la confiture.	**OPTION** Si on veut utiliser un moule à cake classique (longueur 28 cm), faire cuire à 180 °C. Pour tester la cuisson quel que soit le moule utilisé, traverser complètement la pâte avec la pointe d'un couteau : elle doit ressortir sèche.

GINGER BREAD

POUR 8 À 10 PERSONNES • PRÉPARATION : 14 MINUTES • CUISSON : 1 HEURE

100 g de beurre + 10 g pour le moule
315 g de farine T.55
3 g de sel
4 g de bicarbonate
5 g de gingembre en poudre
3 g de quatre-épices
3 g de cacao en poudre
2 g de cannelle en poudre
2 g de noix de muscade en poudre
230 g de sirop d'érable
150 g de sucre
110 g de lait fermenté
110 g de lait entier
1 œuf

AU PRÉALABLE :
Préchauffer le four à 180 °C. Sortir les ingrédients liquides et l'œuf au moins 30 minutes avant. Faire fondre le beurre.

1 2

3 4

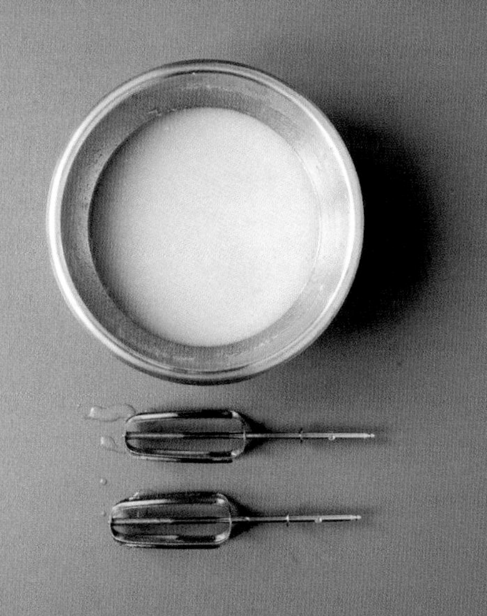

1	Dans un récipient de taille moyenne, mélanger la farine, le bicarbonate, le sel, les épices et le cacao.	2	Dans un grand récipient, verser le beurre fondu, le sirop d'érable, le sucre, le lait fermenté, le lait entier et l'œuf (voir astuces : mélange ingrédients liquides *).	
3	Bien mélanger tous ces ingrédients au fouet électrique, à vitesse lente.	4	Ajouter les ingrédients secs et fouetter à vitesse moyenne jusqu'à ce que la pâte soit homogène.	➢

5	Beurrer généreusement un moule à cake de 28 cm de long. Verser la pâte dans le moule et enfourner pour 55 minutes.	**LE TRUC** ☛ Pour s'assurer que le gâteau ne brûle pas mettre une plaque à pâtisserie entre la grille et le moule.

6	Sortir le gâteau du four et le laisser refroidir 10 minutes avant de démouler sur une grille surélevée. Une fois à température ambiante, l'envelopper dans du film alimentaire.	**DÉGUSTATION** Déguster tiède ou à température ambiante, nature ou avec un peu de crème fraîche épaisse. On peut garder ce gâteau jusqu'à 5 jours enveloppé dans du film alimentaire, à température ambiante.

PAIN AU MAÏS

POUR 8 PERSONNES • PRÉPARATION : 15 MINUTES • CUISSON : 30 MINUTES

30 g de beurre fondu + un peu pour le moule
150 g de semoule de maïs (polenta) non précuite
150 g de farine T.55
8 g de levure
4 g de bicarbonate
20 g de sucre
4 g de sel
2 œufs
150 g de lait entier
150 g de lait fermenté

AU PRÉALABLE :
Préchauffer le four à 220 °C et glisser une grille au milieu. Beurrer un moule à cake (de 28 cm de long) ou un moule carré (de 18 cm de côté).

1 2

3 4

1	Faire fondre le beurre dans une petite casserole. Retirer aussitôt du feu.	2	Verser la polenta, la farine, le bicarbonate, la levure, le sucre et le sel dans un grand récipient.	
3	Mélanger tous ces ingrédients avant de faire un puits au milieu.	4	Casser les œufs au centre du puits. Mélanger délicatement avec une cuillère en bois.	➢

5 6

7 8

5	Ajouter le lait entier et le lait fermenté. Bien mélanger le tout jusqu'à ce que l'on ne puisse presque plus distinguer les ingrédients secs.	6	Verser le beurre fondu et mélanger encore jusqu'à ce que l'appareil soit homogène.
7	Verser la pâte dans le moule et enfourner pour 30 minutes.	8	Sortir le gâteau du four quand il est cuit (il doit être brun doré) et le laisser refroidir sur une grille surélevée pendant 5 à 10 minutes.

DÉGUSTATION		POUR RÉCHAUFFER
9	Pour servir, couper le pain en petits carrés ou en tranches. Le déguster tiède, avec une noisette de beurre. On peut le manger seul, comme un gâteau, ou en accompagnement de plats salés (soupes ou légumes, par exemple).	Couvrir le pain si on ne le sert pas aussitôt. On le réchauffera 5 à 10 minutes au four à 180 °C. **VARIANTE** Les polentas du commerce sont le plus souvent précuites. On peut les utiliser pour cette recette mais le résultat sera un peu plus sec.

LES GÂTEAUX EN KIT

PÂTE À CHOUX

FEUILLETÉ

LES CHEESECAKES

LES GÂTEAUX FOURRÉS

LA PÂTE À CHOUX

POUR 300 G • PRÉPARATION : 20 MINUTES • CUISSON : 30 MINUTES

2 œufs
12 cl d'eau
50 g de beurre coupé en dés
2 g de sel
75 g de farine T.45

AU PRÉALABLE :
Préchauffer le four à 150 °C (chaleur tournante) et glisser une grille au milieu. Recouvrir une plaque de papier sulfurisé.

Casser les œufs dans un récipient, les battre en omelette et réserver.

1	Mettre l'eau, le beurre et le sel dans une casserole. Faire chauffer à feu moyen jusqu'à ce que le beurre fonde.	2	Porter à grosse ébullition. Retirer aussitôt la casserole du feu et la poser sur un dessous-de-plat. Ajouter la farine en une fois.	
3	Mélanger à la cuillère en bois jusqu'à ce que le mélange se détache des parois en formant une boule (on dessèche la pâte).	4	Incorporer complètement la moitié des œufs, puis l'autre moitié.	➢

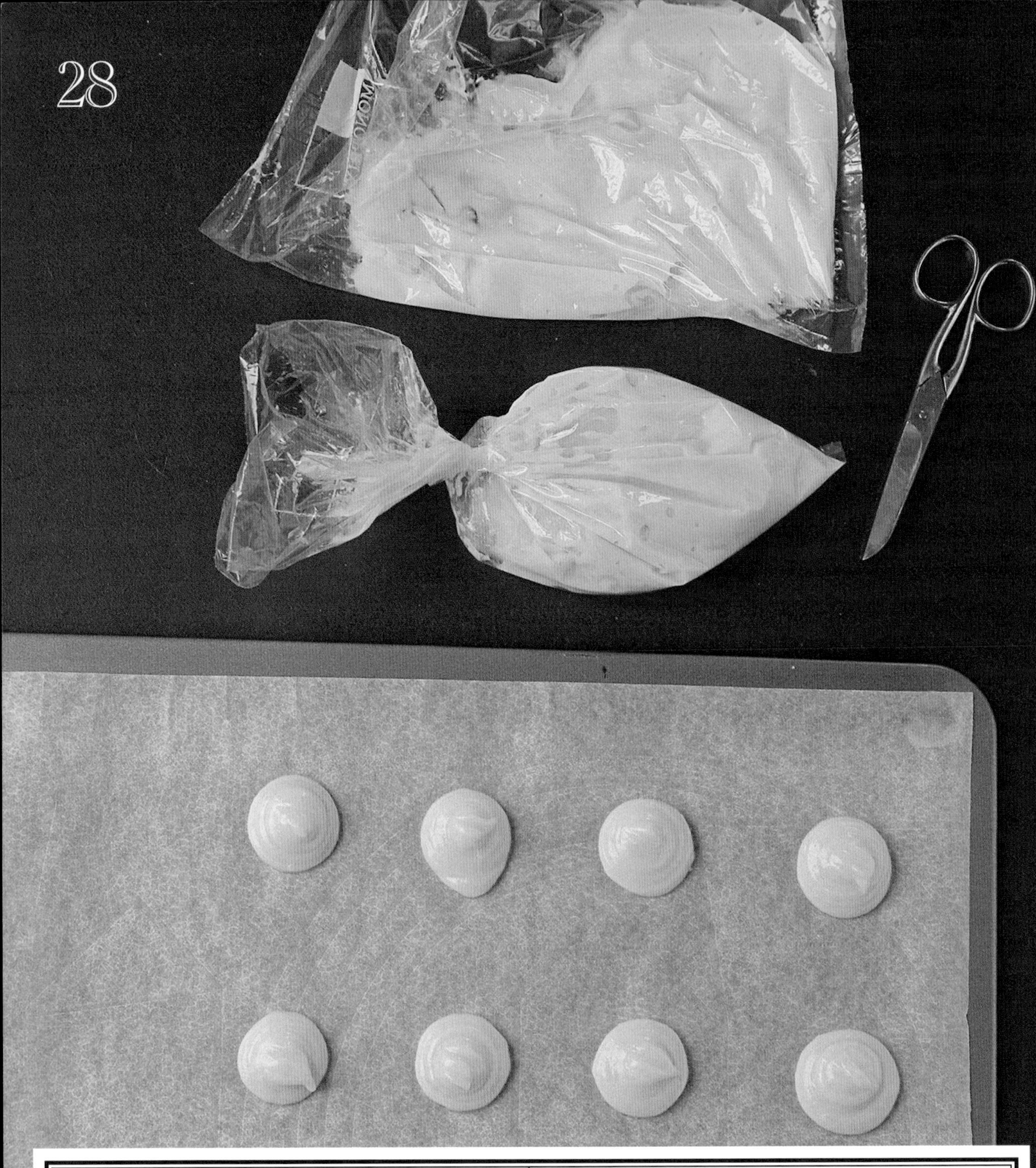

5	Garnir sans attendre une poche* à douille (ou un sac de congélation). Former sur la plaque des noix de pâte bien espacées (pour leur laisser la place de gonfler et faciliter la circulation de l'air chaud pendant la cuisson).	**COMMENT FORMER LES CHOUX** ☛ Tenir la poche à douille garnie de pâte à choux à la perpendiculaire de la plaque à pâtisserie, quelques centimètres au-dessus. Presser la poche pour faire sortir la pâte en restant bien à la perpendiculaire sans changer de position.

6

Faire cuire 30 minutes.

POUR DES CHOUX BIEN GONFLÉS

Juste avant d'enfourner les choux, tapoter légèrement dessus avec les dents d'une fourchette trempée dans de l'eau (pour donner une forme régulière et permettre aux choux de bien gonfler en cuisant).

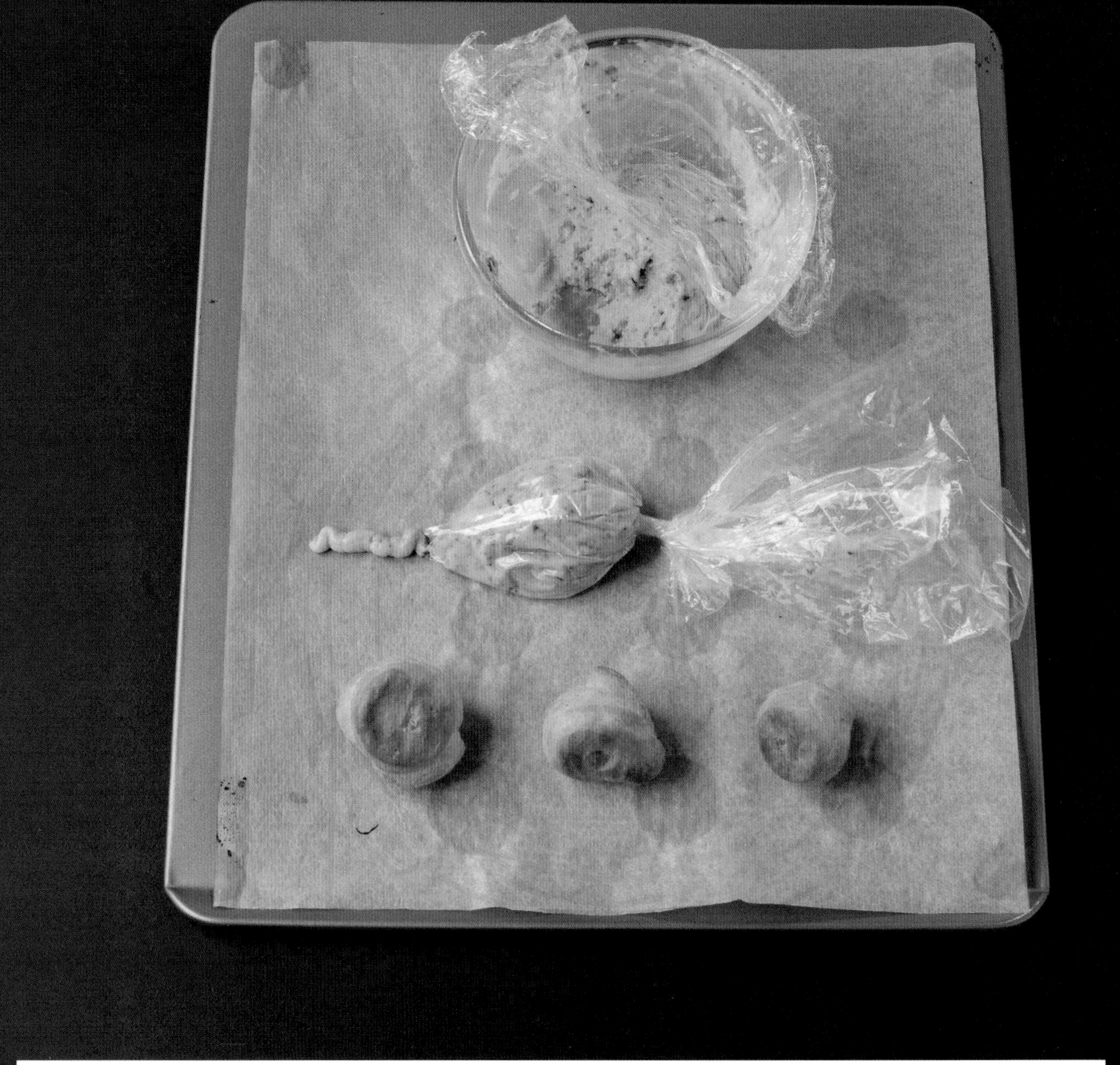

DES CHOUX AU PRALIN

POUR 25 CHOUX

Préparer 700 g de crème pâtissière au pralin (recette 02) et 25 choux. Remplir une poche à douille de crème pâtissière. Percer le fond des choux avec la pointe d'un couteau et enfoncer la douille. Presser la poche de manière à remplir les choux de crème. Reposer les choux garnis sur leur base.

GLAÇAGE AU CARAMEL

POUR 25 CHOUX

Une fois les choux garnis, préparer 100 g de caramel (recette 09). Arrêter la cuisson du caramel avant qu'il ne fonce trop (le caramel va continuer à colorer hors du feu). Tremper le haut des choux sans atttendre et les reposer sur une grille à gâteaux.

DES PROFITEROLES

POUR 20 CHOUX • PRÉPARATION : 10 MINUTES • CUISSON : 5 MINUTES

1/2 litre de glace à la vanille
20 choux préparés avec 300 g de pâte (recette 28)

300 G DE SAUCE AU CHOCOLAT :
110 g de chocolat
90 g de lait
100 g de crème liquide

AU PRÉALABLE :
Laisser tiédir un peu les choux puis couper des chapeaux dans le tiers supérieur avec un couteau-scie. Sortir la glace du congélateur. Couper le chocolat en morceaux.

1 2

3 4

1	Pour la sauce au chocolat, verser le lait et la crème dans une casserole. Porter à ébullition.	2	Hors du feu, ajouter le chocolat en morceaux et lisser la crème. Remettre sur le feu et faire frémir. Retirer aussitôt du feu et réserver.
3	À l'aide d'une cuillère à café, garnir les choux de glace ramollie en la laissant dépasser un peu. Replacer les chapeaux sur les choux.	4	Verser la sauce au chocolat chaude dans des assiettes creuses. Poser 3 profiteroles dans chaque assiette et couvrir en partie de sauce au chocolat.

LES ÉCLAIRS AU CHOCOLAT

POUR 14 ÉCLAIRS • PRÉPARATION : 10 MINUTES • CUISSON : 5 MINUTES

14 éclairs de 10 cm de long préparés avec
300 g de pâte à choux (recette 28)
700 g de crème pâtissière parfumée
au chocolat (recette 02)

GLAÇAGE AU CHOCOLAT :
100 g de chocolat
80 g de sucre glace
40 g de beurre
3 cuillerées à soupe d'eau

AU PRÉALABLE :
Ouvrir les éclairs sur un seul côté avec un couteau-scie et les garnir de crème pâtissière avec une poche* à douille.

1 2

3 4

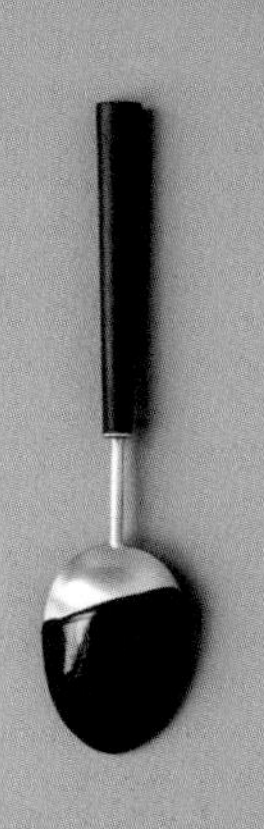

1	Pour le glaçage, commencer par faire fondre le chocolat à feu très doux (ou au bain-marie*). Lisser à la maryse.	2	Toujours à feu très doux, ajouter le sucre glace et le beurre en dés. Laisser fondre tout en mélangeant. Hors du feu, ajouter l'eau cuillerée par cuillerée.
3	Laisser tiédir un peu le glaçage. Trop chaud, il a tendance à couler. Trop froid, il ne s'étale pas bien.	4	Poser les éclairs garnis sur une grille et étaler une couche assez épaisse de glaçage à l'aide d'une spatule plate.

LES CHOUQUETTES

→ POUR 25 CHOUQUETTES • PRÉPARATION : 20 MINUTES • CUISSON : 14 MINUTES ←

PÂTE À CHOUX (300 G) :
12 cl d'eau
2 g de sel
6 g de sucre
50 g de beurre coupé en morceaux
75 g de farine T.45
2 œufs entiers

10 g de sucre en grains

1	Préparer la pâte à choux (rccette 28) en faisant chauffer l'eau, le beurre, le sel et le sucre.	Faire des choux en les espaçant bien sur la plaque de cuisson et les saupoudrer de sucre en grains.	Les faire cuire 15 minutes à 200 °C, puis 5 minutes en gardant le four entrouvert. Les sortir du four et les laisser refroidir sur la plaque.

FAÇON SAINT-HONORÉ ROSE

POUR 4 PÂTISSERIES • PRÉPARATION : 20 MINUTES • CUISSON : 15 À 20 MINUTES

300 g de pâte à choux (recette 28)
350 g de crème pâtissière (recette 02)
+ 1/2 cuillerée à café d'eau de rose
225 g de chantilly (recette 14)
+ 2 gouttes de colorant alimentaire rouge
100 g de glaçage nature (recette 15)
+ 2 gouttes de colorant alimentaire rouge

AU PRÉALABLE :
Recouvrir une plaque à pâtisserie de papier sulfurisé. Préchauffer le four à 220 °C. Préparer la crème pâtissière en ajoutant l'eau de rose dans le lait en début de cuisson.

1 3

2

1	Former 4 couronnes et 12 petits choux sur la plaque à pâtisserie. Cuire 10 à 15 minutes à 220 °C puis 5 minutes avec le four entrouvert.	3	Préparer le glaçage (recette 15) et ajouter le colorant à la fin.	➢
2	Sortir du four. Au bout de 10 minutes, poser les choux sur une grille surélevée. Couper chaque couronne en deux dans l'épaisseur un couteau-scie et percer avec un couteau la base des choux.			

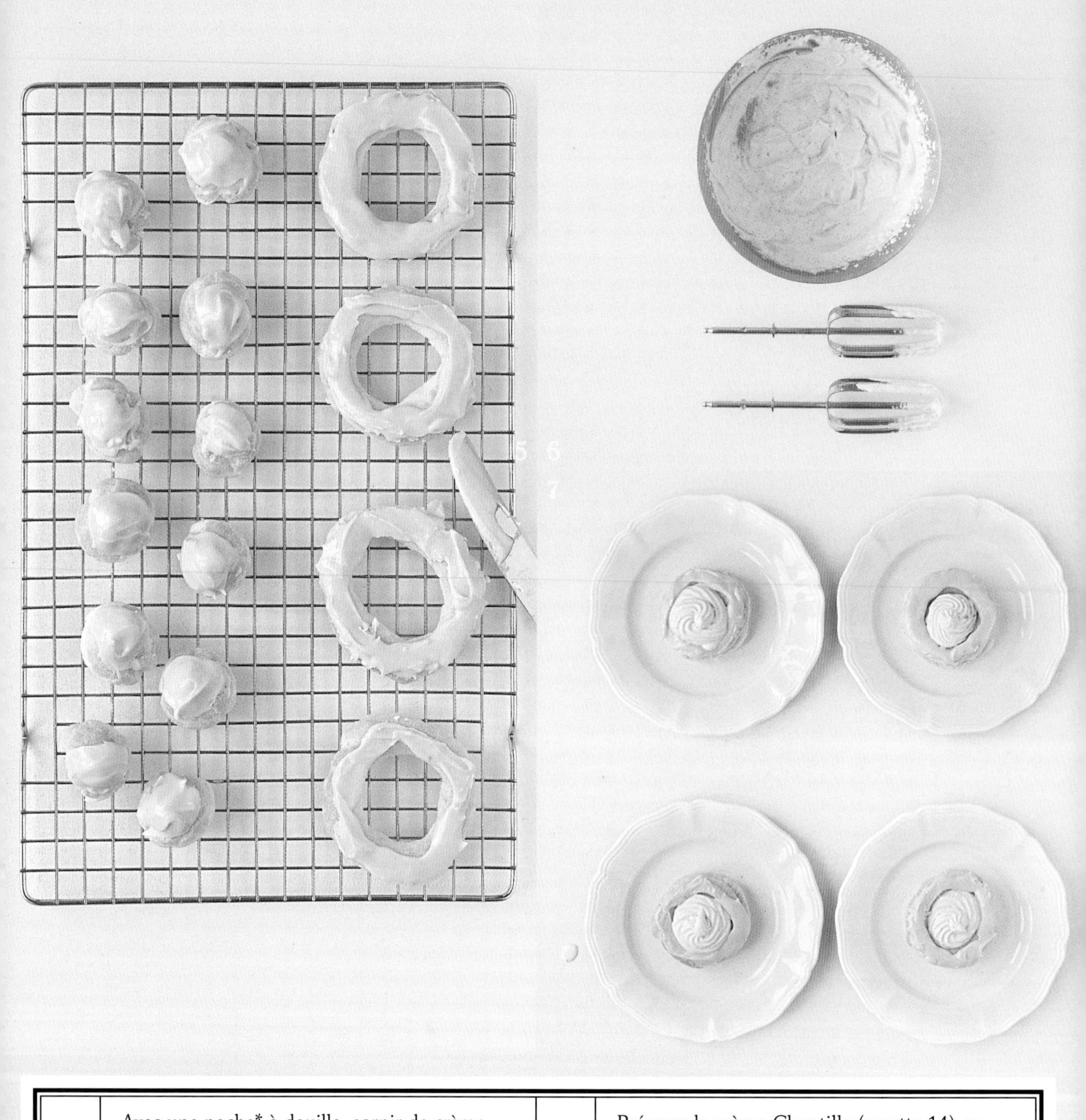

5	Avec une poche* à douille, garnir de crème pâtissière la base de chaque couronne et couvrir avec la moitié supérieure, garnir aussi tous les petits choux. Glacer les choux et les couronnes à l'aide d'une spatule fine et plate (ou d'un couteau lisse).	6	Préparer la crème Chantilly (recette 14) en ajoutant le colorant dans la crème liquide au début de la préparation.
		7	Déposer les couronnes garnies sur une assiette. Garnir de chantilly au centre. Poser les petits choux sur la couronne.

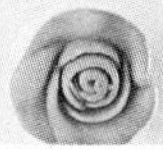

8	Servir tout de suite (ou réserver au frais 1 heure maximum avant de servir).

OPTION

Pour un parfum de rose plus prononcé, ajouter 1/2 cuillerée à café d'eau de rose dans la crème liquide avant de la monter en chantilly.

POUR FACILITER LE GLAÇAGE

On peut le liquéfier un peu en ajoutant quelques gouttes de jus de citron supplémentaires. Tremper la face supérieure de chaque couronne et le haut de chaque petit chou dans le glaçage semi-liquide.

LA PÂTE FEUILLETÉE MAISON

POUR 900 G DE PÂTE • PRÉPARATION : 30 MINUTES • RÉFRIGÉRATION : 2 HEURES

320 g de beurre
420 g de farine T.55
145 g d'eau très froide
18 g de sucre
12 g de sel

AU PRÉALABLE :
Sur le plan de travail, poser le beurre coupé en dés sur la farine.

1

2

3

4

5

6

1	Émietter le beurre du bout des doigts en l'incorporant à la farine. Faire une fontaine et verser l'eau.	2	Ajouter le sucre et le sel et les dissoudre dans l'eau du bout des doigts. Incorporer le sablage.	3	On obtient une pâte à crêpes grumeleuse. Ramener alors tout le sablage sur cette pâte.	
4	Quand la pâte se forme, l'écraser par petits bouts avec la paume de la main.	5	Former une masse pas trop homogène, l'écraser encore une fois et faire une boule.	6	Former un bloc et réfrigérer 1 heure dans du papier film.	➤

35

7

8

9

10

11

12

7	Sortir la pâte et la poser sur le plan de travail légèrement fariné. Poser le rouleau au milieu.	8	Le faire aller et venir en appuyant légèrement et former ainsi un rectangle de 40 x 25 cm environ.	9	Rabattre le premier tiers vers l'intérieur puis ramener le dernier tiers dessus.
10	Replier la pâte sur elle-même trois fois.	11	Écraser légèrement la pâte avec la paume de la main.	12	L'abaisser* au rouleau pour faire un rectangle de 15 x 10 cm environ.

13 14

15 16

13	Répéter ces étapes : fariner le plan de travail et abaisser* la pâte au rouleau pour obtenir un rectangle de 40 x 25 cm.	14	La plier encore une fois en trois en commençant par le bas du rectangle (Reprendre à l'étape 9).
15	La replier ensuite trois fois sur elle-même.	16	Si l'on ne souhaite utiliser que la moitié de la pâte, l'aplatir en un rectangle de 20 x 10 cm que l'on divise en deux (on peut congeler un des pâtons). Réfrigérer 1 heure avant emploi.

DES MILLE-FEUILLES

POUR 4 PÂTISSERIES • PRÉPARATION : 25 MINUTES • CUISSON : 15 MINUTES

350 g de crème pâtissière (recette 02)
55 g de chantilly (recette 14)
450 g de pâte feuilletée (recette 35)
10 g de sucre glace

AU PRÉALABLE :
Préparer une crème pâtissière pas trop épaisse, réserver au réfrigérateur.

Préchauffer le four à 220 °C.
Couvrir une plaque à pâtisserie de papier sulfurisé.

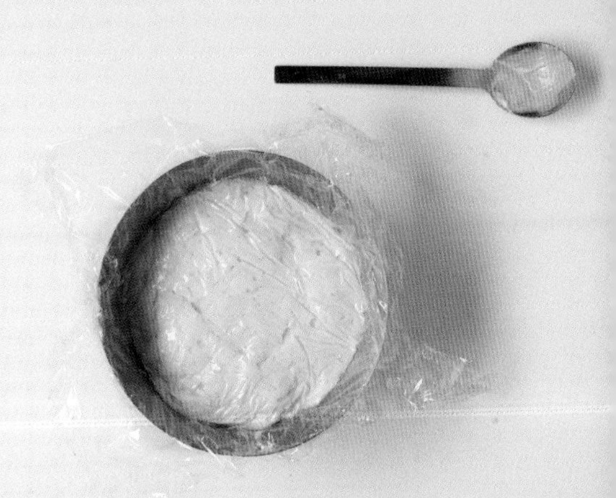

1 2
3 4

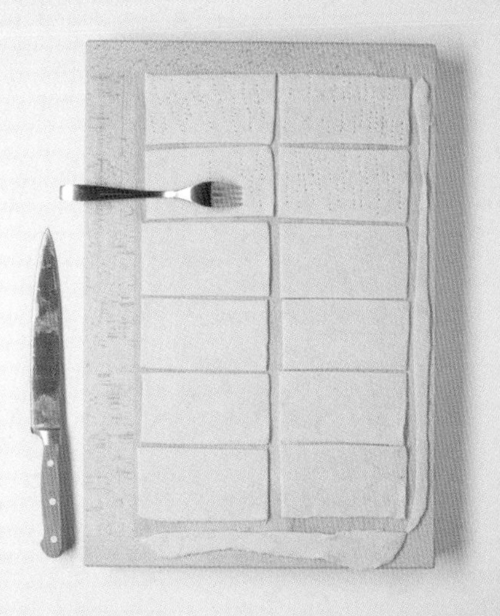

1	Incorporer la chantilly cuillerée par cuillerée à la crème pâtissière.	2	Couvrir de film plastique et réserver au réfrigérateur.	
3	Abaisser* la pâte en un rectangle aussi grand que la plaque à pâtisserie et de 2-3 mm d'épaisseur.	4	Découper dans la pâte 12 rectangles à l'aide d'un couteau bien aiguisé. Les piquer avec une fourchette à dents très fines.	➢

5 6
7 8

5	Disposer la moitié des rectangles sur la plaque (mettre les autres au réfrigérateur) et enfourner pour 10 minutes (ils ne doivent pas trop colorer). Faites cuire les autres rectangles.	6	Préchauffer le gril. Choisir 4 rectangles, les retourner (face non gonflée vers le haut) les saupoudrer de sucre glace et les passer 1 minute sous le gril pour qu'ils caramélisent.
7	Étaler une couche de crème pâtissière sur les autres rectangles.	8	Les assembler deux par deux avant de les recouvrir avec le feuilletage caramélisé.

9	Servir rapidement pour éviter que la crème pâtissière n'humidifie la pâte.	**OPTION DE PRÉSENTATION** On peut faire un seul gâteau dont on découpe d'abord les bords (pour les égaliser) avant de faire des petites parts. **VARIANTE** Pour une crème très légère, augmenter la proportion de chantilly.

37

LA GALETTE DES ROIS

→ POUR 6 À 8 PERSONNES • PRÉPARATION : 30 MINUTES • CUISSON : 35 MINUTES • REPOS : 30 MINUTES ←

450 g de pâte feuilletée (recette 35)
1 œuf pour dorer la pâte

FRANGIPANE
300 g de crème d'amandes (recette 04)
350 g de crème pâtissière (recette 02)

AU PRÉALABLE :
Préchauffer le four à 240 °C.
Préparer une crème pâtissière pas trop épaisse et en prélever 125 g pour cette recette. Garder le reste au frais.

1	Incorporer la crème pâtissière à la crème d'amandes, une cuillerée à la fois. Couvrir d'un film plastique et réserver au réfrigérateur.	2	Sortir la pâte feuilletée du réfrigérateur. Étaler la pâte en deux grands carrés d'environ 25 cm de côté.	
3	En s'aidant d'un moule à manqué, découper un disque de 24 cm de diamètre dans chaque carré de pâte.	4	Placer un disque sur une plaque de cuisson couverte de papier sulfurisé. Badigeonner le tour de ce premier disque à l'œuf battu, sur 1 cm de large.	➢

5 6
7 8

5	Étaler le mélange à la crème d'amandes en partant du centre et en s'arrêtant à 3 cm du bord.	6	Couvrir avec le second disque en appuyant fort sur les côtés pour souder les deux feuilles de pâte.
7	Avec le pinceau, dorer le dessus de la galette à l'œuf battu. Avec un couteau, dessiner des arcs de cercle en partant du centre.	8	Cranter le tour de la galette de légères incisions. Percer le dessus de quelques petits trous (dont un plus gros au centre) pour laisser l'air s'échapper. Réserver au frais 30 minutes.

9	Enfourner à 240 °C. Quand le gâteau a bien gonflé (au bout de 15 minutes environ), baisser à 200 °C. La cuisson dure 35 minutes en tout. Servir tiède ou à température ambiante.	**CONGÉLATION** Mettre la galette crue sur une assiette (sans la dorer ni décorer). Faire durcir 12 heures au congélateur puis la glisser dans un sac de congélation. Bien fermer. Le moment venu, dorer et décorer la pâte encore froide puis faire cuire sans décongélation en comptant 10 minutes de plus de cuisson.

LE TIRAMISU

POUR 6 À 8 PERSONNES • PRÉPARATION : 25 MINUTES • REPOS : 6 HEURES

400 ml de café fort (préparé avec 10 g de café lyophilisé, par exemple)
5 œufs
60 g de sucre

500 g de mascarpone
300 g de biscuits à la cuillère (environ 35 biscuits)
2 cuillerées à soupe de cacao

AU PRÉALABLE :
Verser le café chaud dans un récipient. Ajouter 10 g de sucre (1 cuillerée à soupe), mélanger et laisser tiédir.

1 2

3 4

1	Séparer les blancs des jaunes. Battre les jaunes avec le reste de sucre (50 g) jusqu'à ce que le mélange blanchisse.	2	Ajouter le mascarpone et fouetter au batteur pour obtenir un mélange aéré.	
3	Monter les blancs en neige pas trop ferme.	4	Les incorporer en deux fois à la préparation précédente en travaillant avec une maryse.	➢

5

6

5	Tremper plusieurs biscuits un à un dans le café, très rapidement pour qu'ils ne se défassent pas, et en tapisser le fond d'un grand moule carré.	6	Recouvrir d'une fine couche de crème. Alterner encore deux fois une couche de biscuits et une couche de crème. Couvrir de film alimentaire et réserver au moins 6 heures au réfrigérateur.

7	Au moment de servir, saupoudrer le tiramisu de cacao à l'aide d'une petite passoire.	**CONSEIL** Les biscuits à la cuillère sont moelleux et ne doivent donc pas tremper trop longtemps dans le café. On peut aussi utiliser des boudoirs, mais il faudra les laisser quelques secondes de plus dans le café pour les attendrir.

39

CHEESECAKE AU MASCARPONE

POUR 10 À 12 PERSONNES • PRÉPARATION : 20 MINUTES • CUISSON : 1 H 15 • REPOS : 3 HEURES MINIMUM

FOND DE TARTE :
75 g de beurre
40 g de sucre
125 g de biscuits (de type « Thé » de Lu)

GARNITURE :
390 g de cream-cheese
220 g de sucre
195 g de mascarpone
3 œufs
10 g d'extrait de vanille

AU PRÉALABLE :
Préchauffer le four à 150 °C. Placer une grille au niveau le plus bas et un plat creux en-dessous, sur le fond du four.

1

3

4

5

6

1	Réduire en miettes les biscuits en les passant 30 secondes à 1 minute dans un robot muni d'une lame.	2	Faire fondre le beurre dans une petite casserole et retirer du feu.	3	Mélanger le sucre avec les miettes de biscuits dans un récipient.	
4	Verser le beurre fondu par-dessus. Mélanger à la fourchette.	5	Repartir ce « sable » dans un moule à charnière de 20 cm de diamètre.	6	Tasser les miettes et placer au réfrigérateur 5 à 10 minutes.	➢

39

7 8

9 10

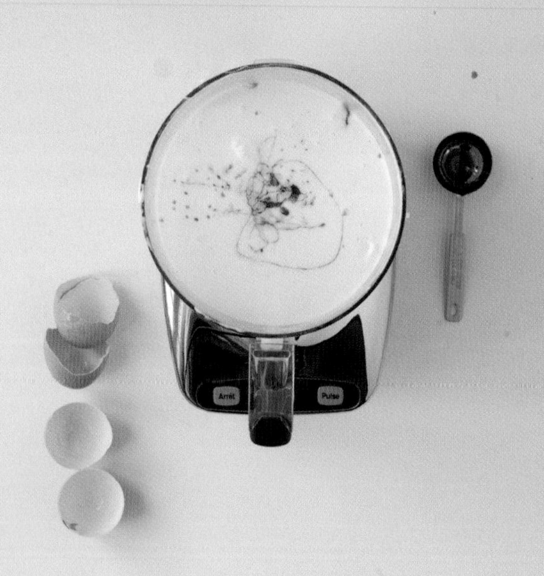

7	Placer le cream-cheese et le sucre dans le bol d'un robot équipé d'une lame. Mixer 1 minute, jusqu'à ce que le cream-cheese soit bien mou.	8	Ajouter le mascarpone et mélanger à nouveau 10 à 20 secondes. Ouvrir le robot et racler les bords à l'aide d'une maryse.
9	Ajouter les œufs un à un (attendre que le premier soit mélangé avant d'ajouter le second). Racler les bords du robot puis verser l'extrait de vanille. Mélanger quelques secondes.	10	Verser la préparation dans le moule.

11	Verser de l'eau très chaude dans le plat posé sur le fond du four et poser le moule sur la grille. Cuire 1 h 05 à 1 h 15 (le centre du cheesecake ne doit plus être liquide mais tremblotant).	**TEMPS DE REPOS** Sortir le cheesecake du four et le laisser tiédir sur une grille. Une fois tiède, passer une petite spatule fine entre le gâteau et son moule, couvrir de film alimentaire et laisser figer au réfrigérateur au moins 3 heures avant de déguster. Il atteindra la consistance idéale après 12 heures.

FIADONE

POUR 6 À 8 PERSONNES • PRÉPARATION : 20 MINUTES • CUISSON : 45 MINUTES

500 g de brocciu frais (ou de faisselle)
Le zeste de 1 citron non traité
5 œufs
140 g de sucre

1 pincée de sel
6 g d'eau-de-vie (1 cuillère à café)
De l'huile d'olive (pour le moule)

AU PRÉALABLE :
Faire égoutter le brocciu pendant 1 heure. Graisser à l'huile d'olive un moule à manqué de 25 cm de diamètre. Râper le zeste de citron. Préchauffer le four à 180 °C.

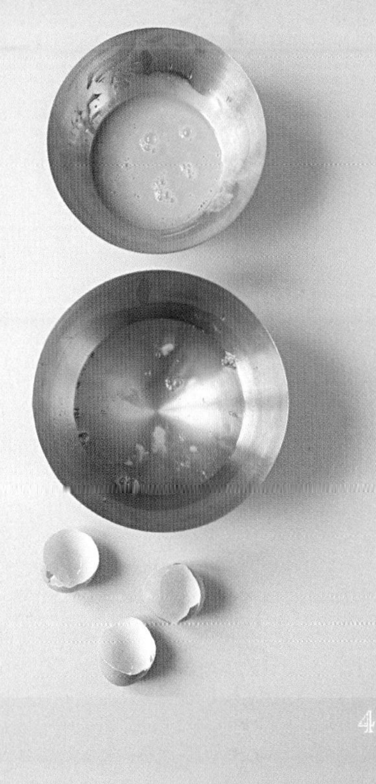

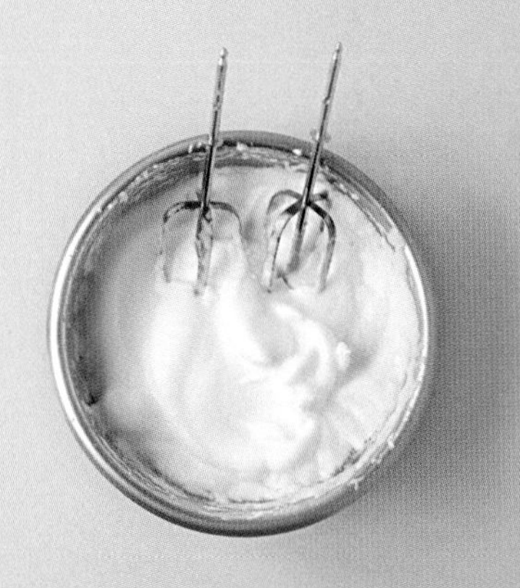

1	Casser les œufs en séparant les blancs des jaunes.	2	Faire blanchir les jaunes avec le sucre, en travaillant au fouet électrique ou au fouet à main.	3	Ajouter le brocciu en deux fois. Mélanger au fouet à main. Incorporer le zeste de citron puis l'eau-de-vie.
4	Battre les blancs en neige ferme avec le sel.	5	Avec la maryse, les incorporer au mélange au brocciu.	6	Éviter de trop mélanger la pâte avec la maryse. ➢

7	Verser la pâte dans le moule et lisser légèrement le dessus avec une spatule.	**LE TRUC** ☛ Dans cette recette, on peut incorporer les blancs en neige assez rapidement, sans craindre de les écraser à la spatule, car la pâte n'a pas besoin d'être très aérée.

8	Enfourner pour 45 minutes à 180 °C. Laisser refroidir sur une grille. Couvrir et réserver au réfrigérateur jusqu'au moment de servir.

DÉGUSTATION

Ce gâteau se déguste froid. On peut servir avec une compotée de fruits rouges ou un coulis frais.

VARIANTE

D'origine corse, le fiadone se parfume avec une eau-de-vie de myrthe, un produit peu courant que l'on peut remplacer par l'eau-de-vie de son choix.

ROULÉ À LA CONFITURE

POUR 8 PERSONNES • PRÉPARATION : 40 MINUTES • CUISSON : 10 MINUTES

GÉNOISE :
35 g de beurre
75 g de sucre + 1 cuillerée à café pour les blancs en neige
75 g de farine T.45
3 blancs d'œufs + 4 jaunes

SIROP À LA VANILLE :
50 g de sucre
70 g d'eau
1 cuillerée à café d'extrait de vanille
250 g de confiture de fraises

AU PRÉALABLE :
Préchauffer le four à 240 °C.
Recouvrir de papier sulfurisé une plaque à pâtisserie (40 x 30 cm).

1	Commencer par préparer la génoise. Faire fondre le beurre dans une petite casserole.	2	Badigeonner le papier sulfurisé avec une partie du beurre fondu.	3	Avec un fouet électrique, battez les jaunes avec 75 g de sucre pendant 5 minutes à vitesse moyenne.
4	Incorporer la farine à l'aide d'une maryse mais ne pas trop travailler le mélange.	5	Monter les blancs en neige en les soutenant à mi-parcours avec la cuillerée de sucre.	6	Verser les blancs en neige et le beurre fondu sur les jaunes. ➢

7 8
9 10

7	Mélanger délicatement la pâte avant de la renverser sur la plaque en la laissant glisser du récipient (ne surtout pas casser les bulles d'air).	8	Répartir la pâte sur la plaque à l'aide d'une spatule longue et plate.
9	Faire cuire 7 minutes, jusqu'à ce que la surface colore légèrement.	10	Sortir la génoise du four et la retourner aussitôt sur un plan de travail légèrement huilé.

11

Décoller le papier sulfurisé, couvrir la génoise d'un linge propre (pour qu'elle reste moelleuse et ne se casse pas quand on la roule) et laisser refroidir.

LE TRUC

En étalant la pâte, faire des gestes réguliers pour obtenir une épaisseur uniforme de 4 à 6 mm maximum. Sinon, les parties les plus fines vont sécher en cuisant.

ATTENTION

☛ Ne pas donner de coups brusques avec la spatule pour éviter de casser les bulles d'air dans la pâte. Ce sont elles qui donnent à la génoise sa texture aérée.

12	Verser l'eau puis le sucre dans une petite casserole. Chauffer sur feu moyen.	13	Dissoudre le sucre au fouet puis porter à ébullition. Retirer aussitôt du feu.	14	Ajouter l'extrait de vanille dans le sirop refroidi et bien mélanger.
15	Étaler au pinceau le sirop à la vanille sur toute la génoise.	16	Napper de confiture (en garder 2 cuillerées à soupe) et former un rouleau serré.	17	Faire fondre à feu doux les 2 cuillerées de confiture avec 1 cuillerée d'eau.

18	À l'aide d'un pinceau, napper entièrement le roulé avec la confiture délayée.	**CONSERVATION** Ce roulé pourra se garder 4 jours au réfrigérateur.

OPTION 1	**OPTION 2**
Préparer la génoise à l'avance et la rouler dans son papier sulfurisé dès sa sortie du four. Envelopper de film alimentaire.	On peut faire un roulé plus étroit (comme une bûche). Dans ce cas, ne couvrir de pâte que les deux tiers ou la moitié de la largeur de la plaque.

BÛCHE AU CAFÉ

POUR 10 PERSONNES • PRÉPARATION : 20 MINUTES • CUISSON : 5 MINUTES • REPOS : 1 HEURE

1 génoise déjà cuite (recette 41)
(d'environ 20 cm)
300 g de crème au beurre
parfumée au café (recette 03)

SIROP AU CAFÉ :
50 g de sucre
70 g d'eau
1 g d'extrait de café

1 2

3 4

1	Dissoudre le sucre dans l'eau à feu moyen et porter à ébullition. Retirer aussitôt du feu. Laisser refroidir avant d'ajouter l'extrait de café.	2	Au pinceau, badigeonner la génoise avec le sirop au café. Étaler ensuite les trois quarts de la crème au beurre.
3	Rouler la génoise le plus serré possible, en partant d'un petit côté.	4	Recouvrir la bûche avec le reste de crème, en travaillant à la spatule. Laisser 1 heure au réfrigérateur avant de servir.

GÂTEAU AU PAVOT

→ POUR 12 PERSONNES • PRÉPARATION : 35 MINUTES • CUISSON : 35 MINUTES ←

400 g de pavot et 200 g de sucre
50 g de beurre et 50 g de miel
20 g d'amandes en poudre
1 sachet de sucre vanillé

1 zeste de citron et 30 g de raisins
Du rhum
2 blancs d'œufs et 1 œuf entier pour dorer
400 g de pâte sablée (recette 66)

AU PRÉALABLE :
Préchauffer le four à 180 °C.

1 2

3 4

1	Couvrir les raisins secs de rhum et laisser gonfler. Beurrer un moule carré de 22 cm de côté (ou un moule rectangulaire).	2	Abaisser* la pâte en deux feuilles de la taille du moule.	
3	Poser une feuille de pâte au fond du moule.	4	Faire fondre le beurre dans une petite casserole. Réserver hors du feu.	➢

5	Passer le pavot au moulin à café et le mettre au fur et à mesure dans un grand récipient.	6	Ajouter le sucre et bien mélanger.	7	Ajouter ensuite le beurre fondu, mélanger, puis ajouter le miel et mélanger encore.
8	Incorporer les amandes en poudre et le sucre vanillé.	9	Ajouter enfin le zeste du citron et les raisins égouttés.	10	Monter les 2 blancs d'œufs en neige.

11 12
13 14

11	Les incorporer délicatement à l'appareil au pavot.	12	Verser cette garniture dans le moule, sur le fond de pâte.
13	Couvrir avec la seconde feuille de pâte. Dorer à l'œuf battu.	14	Enfourner pour 35 minutes. Trancher en parts carrées pour servir.

CHARLOTTE AU CHOCOLAT

POUR 6 À 8 PERSONNES • PRÉPARATION : 15 MINUTES • REPOS : 3 HEURES

25 biscuits à la cuillère
5 cl d'eau
5 cl de sirop de sucre de canne

600 g de mousse au chocolat (recette 06)

AU PRÉALABLE :
Préparer la mousse au chocolat et la réserver au réfrigérateur.

1 2
3 4

1	Beurrer le fond d'un moule à charlotte (15 cm). Découper un disque de papier sulfurisé, beurrer et poser au fond (face beurrée vers le haut).	2	Dans une assiette creuse, mélanger le sirop et l'eau.	
3	Réserver 10 biscuits pour le dessus de la charlotte. Tremper les autres un à un rapidement dans l'eau sucrée.	4	Les disposer contre la paroi du moule, côté arrondi vers l'extérieur.	➢

5 6

7 8

5	Faire ainsi tout le tour du moule. Laisser le fond vide.	6	Verser la mousse au chocolat au centre du moule.
7	Couvrir avec les biscuits réservés, rapidement trempés dans l'eau sucrée.	8	Poser sur la charlotte deux assiettes de la taille du moule. Envelopper de papier film et mettre 3 heures au réfrigérateur.

	LE DÉMOULAGE	DÉGUSTATION
9	Pour le démoulage, enlever d'abord le film plastique et les assiettes. Plonger le fond du moule dans de l'eau très chaude, poser un plat de service dessus puis retourner. Enlever délicatement le papier sulfurisé. Servir sans attendre.	Servir la charlotte au chocolat avec une crème anglaise (recette 01).

VACHERIN

→ **POUR 6 PERSONNES** • PRÉPARATION : 55 MINUTES • CUISSON : 1 H 30 • CONGÉLATION : 2 HEURES ←

1/2 litre de glace à la vanille
1/2 litre de glace à la fraise
250 g de compotée de fruits rouges (recette 13) pour accompagner
Quelques fruits frais pour décorer

MERINGUE FRANÇAISE :
3 blancs d'œufs
le même poids de sucre en poudre (100 g)
le même poids de sucre glace (100 g)

225 g de chantilly (recette 14)

1 2
3 4

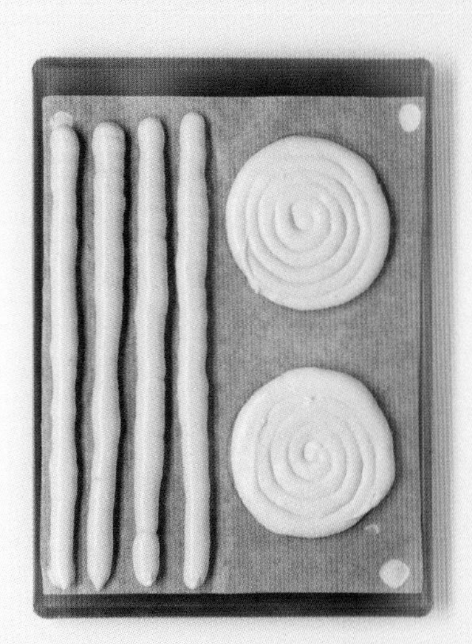

1	Pour préparer la meringue, fouetter les blancs d'œufs dans un saladier. Ajouter le sucre en poudre quand ils sont encore très souples.	2	Battre encore jusqu'à ce que les blancs soient complètement montés. Saupoudrer alors de sucre glace tamisé et l'incorporer à la maryse.	
3	Dessiner deux fois le contour d'une petite casserole (diamètre 12 cm) sur du papier sulfurisé. À la poche* à douille, répartir la meringue en spirale épaisse à l'intérieur des disques.	4	Faire aussi des bâtonnets de meringue. Faire cuire 1 h 30 au four à 90 °C. Sortir la glace 10 à 20 minutes avant la fin de la cuisson des meringues.	➢

5 6
7 8

5	Recouvrir de film plastique l'intérieur de la casserole avec laquelle on a tracé les disques. Laisser ce dernier déborder largement.	6	Transvaser la glace dans un récipient et la travailler à l'aide d'une cuillère à soupe pour l'assouplir.
7	Quand la meringue est complètement froide, déposer un disque au fond de la casserole.	8	Ajouter la glace en remplissant presque complètement la casserole.

Couvrir la glace avec l'autre disque de meringue. Laisser prendre au moins 2 heures au congélateur.

LE TRUC

☛ Les disques de meringue doivent être légèrement inférieurs au diamètre de la casserole pour qu'on puisse les glisser dedans sans les briser. Attention aussi à ne pas les faire trop petits : la casserole fait office de moule pour monter le vacherin et les meringues doivent être ajustées à son diamètre.

10 11
12 13

10	Une heure avant de servir, couper les bâtonnets de meringue en petits doigts de la hauteur du gâteau. Préparer la chantilly (recette 14).	11	Sortir la casserole du congélateur et tirer sur le film (délicatement) pour démouler le vacherin. Le poser sur un plat de service (sans le film).
12	Couvrir les côtés d'une couche épaisse de chantilly et lisser à l'aide d'une spatule longue et plate.	13	Garnir le tour du vacherin avec les bâtonnets de meringue. Remettre au congélateur entre 15 et 30 minutes pour faire adhérer les petits bâtons de meringue à la chantilly.

14	Garder le reste de chantilly au réfrigérateur. Au moment de servir, en recouvrir le vacherin d'une couche épaisse. Avec une poche* à douille, faire aussi des petits dômes de chantilly sur le dessus et parsemer de fruits rouges. Servir avec la compotée de fruits rouges.	**VARIANTE** Utiliser de la glace au caramel et de la glace au chocolat pour garnir le vacherin. Dans ce cas, servir en accompagnement du caramel liquide au beurre salé (recette 10).

LES PETITS GÂTEAUX

4

MERINGUE FRANÇAISE

POUR 250 G DE MERINGUE • PRÉPARATION : 10 MINUTES • CUISSON : 1 H 30 À 2 HEURES

3 blancs d'œufs
le même poids de sucre en poudre (environ 100 g)
le même poids de sucre glace (environ 100 g)

AU PRÉALABLE :
Préchauffer le four à 90 °C.
Recouvrir une plaque à pâtisserie de papier sulfurisé.

1

3 4

1	Fouetter les blancs d'œufs en neige. Ajouter le sucre quand ils sont montés mais encore très souples.	2	Battre jusqu'à ce que les blancs soient très fermes puis incorporer le sucre glace tamisé avec une maryse.
3	À l'aide d'une cuillère à soupe, former des meringues sur la plaque. Enfourner 1 h 30 à 2 heures selon l'épaisseur des meringues.	4	Après la cuisson, laisser les meringues refroidir dans le four éteint, porte fermée. Elles se décolleront facilement de la plaque.

MUFFINS AUX MYRTILLES

POUR 6 MUFFINS • PRÉPARATION : 15 MINUTES • CUISSON : 25 MINUTES

30 g de beurre
1 œuf
80 g de sucre
150 g de crème fraîche
120 g de farine T.55
2 g de sel
6 g de levure
70 g de myrtilles surgelées

AU PRÉALABLE :
Préchauffer le four à 180 °C.
Beurrer 6 moules à muffins.

1

2

1	Faire fondre le beurre puis le retirer du feu. Mélanger l'œuf avec le sucre. Quand la texture devient crémeuse, ajouter au fouet le beurre fondu, puis la crème fraîche en deux fois.	2	Mélanger la farine, le sel et la levure dans un récipient. Sortir les myrtilles du congélateur et les mélanger aussitôt avec la farine. Faire un puits au milieu, verser les ingrédients liquides et mélanger rapidement.	➢

3	Remplir aussitôt les moules aux deux tiers (travailler vite pour que les myrtilles ne décongèlent pas), les tapoter contre le plan de travail et enfourner pour 25 minutes (15 minutes pour des petits muffins).	**LE TRUC** ☛ Éviter de trop travailler la pâte au moment de mélanger les ingrédients secs et les ingrédients liquides, sinon les muffins ont tendance à durcir. Ne pas remplir les moules jusqu'en haut pour que la pâte gonfle et forme un joli dôme.

Sortir les moules du four, passer la lame d'un couteau entre les parois des moules et les muffins. Laisser tiédir 10 minutes avant de démouler. Mettre à refroidir sur une grille.

DÉGUSTATION

Servir ces muffins selon la tradition américaine, au petit-déjeuner, avec du thé ou du café et une noisette de beurre.

MUFFINS AU CHOCOLAT

VARIANTE DES MUFFINS À LA MYRTILLE

Mélanger 90 g de farine, 20 g de cacao tamisé et 2 g de levure. Dans un autre récipient, fouetter 80 g de sucre avec 2 œufs. Ajouter 90 g de beurre fondu tiède puis 75 g de lait. Verser le mélange sur la farine, mélanger et incorporer 50 g de chocolat noir haché à mi-parcours.

MUFFINS À LA BANANE

VARIANTE DES MUFFINS À LA MYRTILLE

Préchauffer le four à 210 °C. Mélanger 135 g de farine, 2 g de bicarbonate, 2 g de levure, 2 de cannelle et 1 pincée de sel.

Dans un autre saladier, fouetter 1 œuf avec 155 g de sucre. Ajouter 40 g de beurre fondu, 2 petites bananes mûres écrasées et 30 g de lait entier. Verser le mélange sur les ingrédients secs et remuer.

MUFFINS CÉRÉALES-RAISINS

VARIANTE DES MUFFINS À LA MYRTILLE

Faire gonfler 70 g de All Bran dans 230 g de lait entier. Dans un saladier, battre 1 œuf avec 100 g de sucre blond, ajouter 50 g d'huile de tournesol en filet puis 4 g d'extrait de vanille. Incorporer le All Bran et le lait. Mélanger dans un autre saladier 120 g de farine, 4 g de bicarbonate et 2 g de sel. Ajouter les ingrédients liquides, mélanger. Incorporer 75 g de raisins secs hachés à mi-parcours.

MUFFINS AVOINE-POMMES

VARIANTE DES MUFFINS À LA MYRTILLE

Faite gonfler 80 g d'avoine dans 175 g de lait entier. Battre 1 œuf avec 50 g de sucre blond puis verser 50 g de beurre fondu et 4 g d'extrait de vanille. Incorporer l'avoine et le lait. Dans un autre récipient, mélanger 110 g de farine T.55, 4 g de levure, 2 g de cannelle et 2 g de sel. Ajouter les ingrédients liquides, mélanger à la maryse. Incorporer 60 g de dés de pomme à mi-parcours.

MADELEINES

POUR 18 MADELEINES • PRÉPARATION : 20 MINUTES • CUISSON : 10 MINUTES • REPOS : 2 HEURES AU MOINS

75 g de beurre
2 œufs entiers + 1 jaune
70 g de sucre
1/2 gousse de vanille

60 g de farine T.55
2 g de levure
2 g de sel

AU PRÉALABLE :
Battre les œufs entiers et le jaune dans un récipient.

1	Faire fondre le beurre et le maintenir à feu doux.	2	Ajouter les graines de vanille et le sucre sur les œufs battus et bien fouetter.	3	Mélanger la farine avec le sel et la levure.	
4	En saupoudrer les œufs battus et mélanger à la maryse pour obtenir une pâte homogène.	5	Verser le beurre chaud en filet tout en mélangeant à la maryse.	6	Couvrir et réserver au moins 2 heures au frais (et jusqu'à 12 heures).	➤

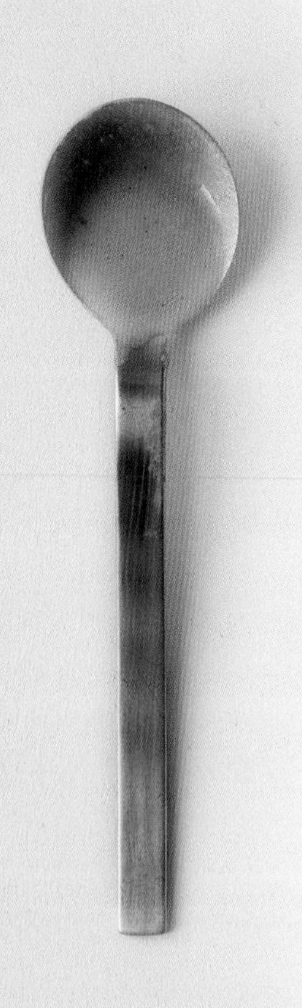

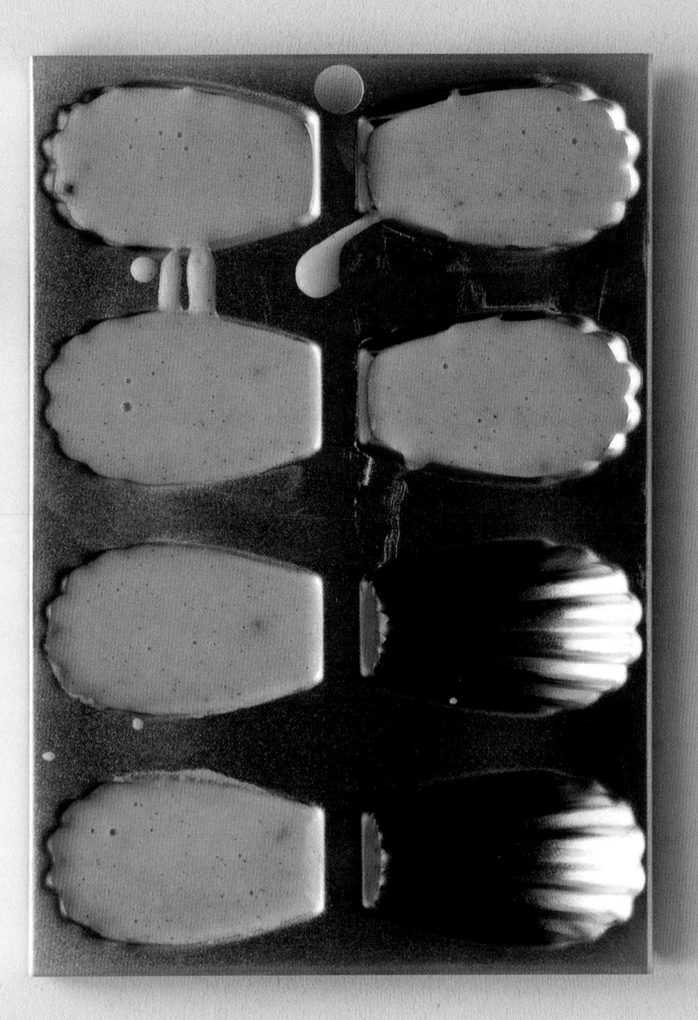

7	Préchauffer le four à 210 °C. Beurrer soigneusement les moules à madeleine, les fariner puis les secouer pour enlever l'excédent de farine. Les placer sur une plaque à pâtisserie. Verser la pâte à la cuillère dans les alvéoles en les remplissant presque à ras bords.	**ASTUCES** Quand on couvre la pâte avant de la mettre au frais, il est préférable de poser le film directement dessus. Si on utilise des moules antiadhésifs, il n'est pas utile de les beurrer ou de les fariner. Attention : le four doit être très chaud pour que les madeleines gonflent et cuisent sans avoir le temps de se dessécher.

8 Enfourner pour 10 minutes environ.

LE DÉMOULAGE

Démouler les madeleines à la sortie du four et les retourner dans leur moule pour les laisser refroidir. Attendre qu'elles soient complètement froides pour les déguster.

LE TRUC

☛ Au bout de 2 à 3 minutes, le pourtour des madeleines doit être un peu levé. Baisser alors la température du four à 170 °C et prolonger la cuisson jusqu'à ce que les madeleines soient dorées (8 minutes environ).

MACARONS AU CHOCOLAT

POUR 10 MACARONS • PRÉPARATION : 25 MINUTES • CUISSON : 11 MINUTES • REPOS 20 MINUTES AU MOINS

100 g de ganache au chocolat (voir recette 07)

POUR LA MACARONADE :

45 g de poudre d'amandes
80 g de sucre glace
10 g de cacao
1 blanc d'œuf
10 g de sucre semoule
2 gouttes de colorant rouge

AU PRÉALABLE :

Préparer une plaque à pâtisserie recouverte d'une feuille en silicone type sylpat.
Préchauffer le four à l'étape 7.

1 2
3 4

1	Mixer la poudre d'amandes, le sucre glace et le cacao pour obtenir une texture fine. Pour éviter que le mélange ne devienne collant, arrêter souvent le robot et remuer avec une spatule.	2	Tamiser cette poudre dans une passoire à maille fine.	
3	Monter le blanc en neige. Quand il commence à prendre, verser progressivement le sucre et continuer jusqu'à ce que la neige soit ferme.	4	Ajouter le colorant goutte à goutte et mélanger délicatement à la maryse pour obtenir une couleur uniforme.	➢

5 6

7 8

5	Saupoudrer peu à peu le mélange sec sur le blanc en neige et l'incorporer à la maryse.	6	Travailler délicatement. On doit obtenir un mélange homogène.
7	Garnir une poche à douille et former des petits macarons bien espacés sur la plaque à pâtisserie. Tapoter la plaque sur le plan de travail. Préchauffer le four (160°C chaleur tournante).	8	Laisser « croûter » dans l'endroit le plus chaud de la pièce (de 20 minutes à plusieurs heures si le lieu est humide) : presser légèrement le macaron pour vérifier qu'il ne colle plus.

9

Enfourner et cuire 11 minutes pour de petits macarons et 15 minutes pour des macarons de taille moyenne.

LE TRUC

☛ Attendre que les macarons soient froids pour les décoller de la plaque.

LA GARNITURE

Mettre une noisette de ganache au centre d'une coque de macaron, sur sa face plate, et poser une seconde coque contre la ganache, également sur sa face plate. Presser pour que la ganache s'étale jusqu'au bord du macaron.

54

MACARONS À LA FRAMBOISE

VARIANTE DES MACARONS AU CHOCOLAT

Préparer la macaronade d'après la recette 53, en supprimant le cacao et en teintant les blancs en neige avec 6 gouttes de colorant rouge.

Pour la garniture, utiliser 100 g de confiture de framboises.

MACARONS AU CARAMEL

VARIANTE DES MACARONS AU CHOCOLAT

Préparer la macaronade d'après la recette 53, en n'utilisant que 2 g de cacao et en teintant les blancs en neige avec 1 goutte de colorant rouge et 1 goutte de colorant jaune.

Pour la garniture, utiliser 100 g de caramel au beurre salé (recette 10).

CANNELÉS

POUR 8 CANNELÉS • PRÉPARATION : 20 MINUTES • CUISSON : 1 H 15 • REPOS : 12 HEURES

250 ml de lait entier
1 gousse de vanille
125 g de sucre blond
50 g de farine T.55

1 œuf + 1 jaune
25 g de beurre
10 g de rhum

1	Faire chauffer le lait avec la gousse de vanille fendue en deux et grattée.	2	Mélanger le sucre et la farine dans un récipient équipé d'un bec verseur.	3	Ajouter les œufs. Mélanger à la cuillère en bois.
4	Verser le lait chaud (sans la vanille) en remuant toujours avec la cuillère en bois.	5	Ajouter le beurre en morceaux. Continuer de mélanger jusqu'à ce qu'il soit fondu.	6	Remettre la gousse de vanille dans le mélange. ➢

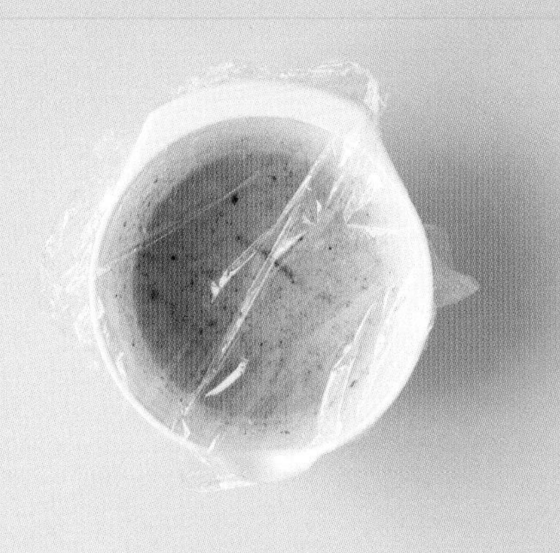

7 8
9 10

7	Attendre qu'il soit à température ambiante pour verser le rhum, mélanger et couvrir. Réfrigérer 12 heures minimum.	8	Sortir la pâte du réfrigérateur 1 heure avant de la cuire et préchauffer le four à 270 °C. Glisser une grille au milieu.
9	Fouetter la pâte pour qu'elle retrouve une texture homogène. Enlever la gousse de vanille.	10	Poser les moules sur une plaque à pâtisserie. Remplir aux trois-quarts (laisser 1 cm) et enfourner.

11	Laisser gonfler puis colorer* la pâte (compter 10 minutes). Quand les cannelés sont bien dorés, baisser la température du four à 180 °C. Laisser cuire jusqu'à ce que la partie apparente soit brun foncé et résiste sous la pression du doigt (entre 1 heure et 1 h 10). Laisser tiédir avant de démouler.	**LE TRUC** ☛ Choisir de préférence des moules à cannelés en silicone (une plaque de 8) car ceux en aluminium ou en cuivre doivent être recouverts de cire d'abeille pour faciliter le démoulage.

DOUGHNUTS

POUR 12 DOUHGNUTS • PRÉPARATION : 30 MINUTES • CUISSON : 5 MINUTES

50 g de beurre
490 g de farine T.55 + 60 g (plan de travail)
200 g de sucre
170 g de lait fermenté
2 œufs entiers + 1 jaune
4 g de bicarbonate + 8 g de levure

8 g de sel
4 g de noix de muscade râpée

SUCRE À LA CANNELLE :
150 g de sucre
4 g de cannelle

AU PRÉALABLE :
Quand la pâte est presque prête, faire chauffer 1 litre d'huile d'arachide dans une cocotte en fonte (sur feu moyen à fort) ou préchauffer une friteuse à 190 °C.

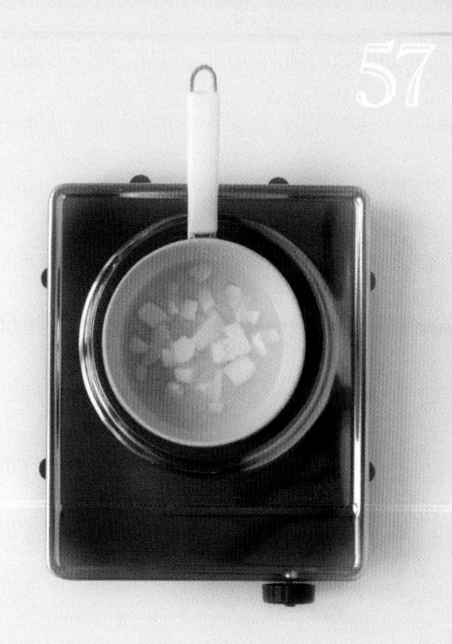

1 2
3 4

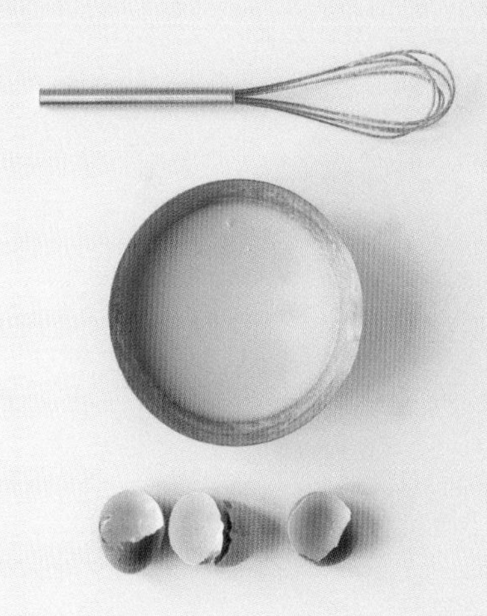

1	Préparer le sucre à la cannelle en mélangeant les ingrédients dans un récipient. Le verser dans une assiette plate.	2	Faire fondre le beurre. Laisser tiédir.	
3	Dans un grand récipient, mélanger au fouet 140 g de farine avec le sucre, la levure, le sel, le bicarbonate et la muscade.	4	Dans un autre récipient, mélanger le lait fermenté avec les œufs et le jaune d'œuf. Fouetter, ajouter le beurre fondu et fouetter encore.	➢

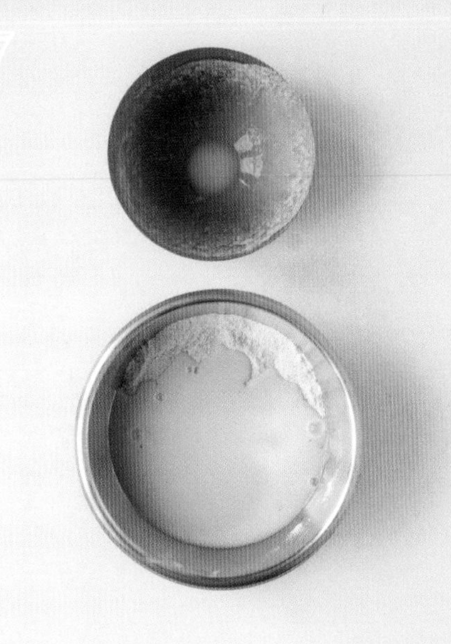

5	Verser ce mélange sur les ingrédients secs.	6	Battre à la cuillère en bois jusqu'à ce que la préparation soit homogène.
7	Incorporer le reste de la farine (350 g) et mélanger à nouveau juste ce qu'il faut pour ne plus voir de farine sèche.	8	Poser la pâte sur le plan de travail bien fariné et l'abaisser* au rouleau fariné (1 cm d'épaisseur environ).

9	Avec deux emporte-pièce bien farinés (l'un de 9 cm et l'autre de 3 cm), faire des anneaux et les mettre sur une grande assiette. Récupérer les chutes de pâte et les travailler rapidement en boule avant de les étaler. Abaisser* au rouleau pour faire d'autres doughnuts jusqu'à épuisement de la pâte.	**LE TRUC** ☛ La pâte des doughnuts est très collante : c'est pourquoi il faut généreusement fariner le plan de travail, le rouleau à pâtisserie et les emporte-pièce pour obtenir des anneaux aux formes régulières.

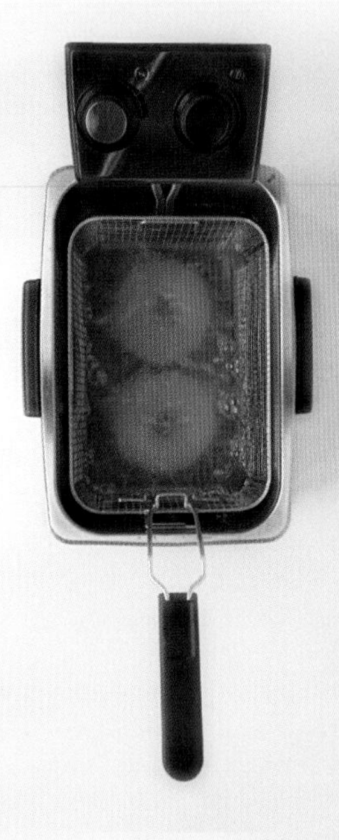

10	Déposer délicatement les doughnuts dans l'huile chaude, en mettre le plus possible mais sans les superposer.	11	Quand ils remontent à la surface et qu'ils sont bien dorés (au bout de 2 minutes environ), les retourner avec une écumoire.
12	Les laisser cuire encore 1 minute.	13	Les sortir de l'huile à l'aide de l'écumoire quand ils sont dorés sur l'autre face.

14	Les faire égoutter sur une grille surélevée ou sur du papier absorbant. Attendre que l'huile revienne à la bonne température pour faire frire une autre tournée. Pendant ce temps, retourner les doughnuts chauds dans le sucre à la cannelle.	**LE TRUC** ☛ Si on n'a pas de friteuse, il est recommandé d'utiliser une cocotte en fonte : ce matériau garde bien la chaleur et l'huile ne refroidira pas trop à chaque fois qu'on y plonge des doughnuts.

GLAÇAGE AU SIROP D'ÉRABLE

POUR 12 DOUGHNUTS • PRÉPARATION : 5 MINUTES

50 g de sucre glace
40 g de sirop d'érable

Tamiser le sucre glace au-dessus d'un petit récipient.
Verser le sirop sur le sucre glace.

Fouetter vivement.

LE GLAÇAGE	ASTUCES
Couler le glaçage sur les doughnuts et l'étaler avec une spatule fine. Attendre quelques minutes que le glaçage fige. On peut aussi verser le glaçage dans une assiette et tremper les gâteaux un à un dedans avant de les laisser s'égoutter au-dessus de l'assiette. Les poser ensuite sur une grille.	Pour un glaçage plus liquide, ajouter jusqu'à 10 g de sirop d'érable. Attention aux traces de doigts : c'est un glaçage qui ne durcit pas complètement.

CHOCOLATE CHIP COOKIES

POUR 12 COOKIES • PRÉPARATION : 25 MINUTES • REPOS : 10 MINUTES • CUISSON : 14 MINUTES

85 g de beurre
90 g de chocolat à 52 %
100 g de sucre blond
50 g de sucre en poudre
130 g de farine T.45

2 g de bicarbonate
2 g de sel
1 jaune d'œuf à température ambiante
6 g d'extrait de vanille

AU PRÉALABLE :
Préchauffer le four à 170 °C. Glisser une grille au milieu.
Faire fondre le beurre dans une petite casserole, retirer du feu et laisser tiédir.

1 2

3 4

1	Couper le chocolat de manière à avoir des pépites de la taille d'un quart de carré de chocolat.	2	Dans un grand récipient, mélanger le sucre blond et le sucre en poudre.
3	Ajouter le beurre fondu tiède et battre au fouet électrique jusqu'à ce que les ingrédients soient bien mélangés.	4	Ajouter l'œuf et l'extrait de vanille. Fouetter encore pour incorporer ces ingrédients. ➤

5 6
7 8

5	Mélanger la farine, le sel et le bicarbonate, ajouter au mélange liquide, fouetter à vitesse lente (juste incorporer la farine).	6	Ajouter les pépites et mélanger à la maryse pour les répartir dans la pâte.
7	Couvrir cette pâte d'un film alimentaire et la placer au réfrigérateur pendant 10 minutes. Pendant ce temps, recouvrir une plaque à pâtisserie d'une feuille de papier sulfurisé.	8	Sortir la pâte du réfrigérateur et façonner de grosses boules. Les diviser en deux d'un geste sec (en s'aidant des deux mains) et les disposer sur la plaque, la face irrégulière vers le haut.

9	Bien séparer les cookies pour qu'ils aient la place de s'étaler un peu. Enfourner de 14 à 16 minutes (selon l'épaisseur des cookies). Laisser refroidir les cookies sur la plaque, elle-même posée sur une grille. Pour les décoller, utiliser une spatule plate et fine.	**BON À SAVOIR** Ne surtout pas décoller les cookies du papier dès leur sortie du four : il faut attendre au moins 15 minutes. Ces cookies restent très moelleux, même quand ils sont complètement froids. Pour des cookies plus épais (que ceux sur la photo), il faut que le beurre fondu ait bien refroidi avant de le mélanger aux sucres (étape 3).

PRESQUE DES OREO™

POUR 20 COOKIES • PRÉPARATION : 25 MINUTES • REPOS : 1 H 45 + 30 MINUTES • CUISSON : 2 X12 MINUTES

140 g de farine type 55
2 g de sel
110 g de beurre pommade*
75 g de sucre
30 g de sucre glace
1 jaune d'œuf à température ambiante
6 g de vanille liquide
15 g de cacao en poudre
30 g de chocolat

GANACHE :
35 g de crème fraîche épaisse
115 g de chocolat blanc

AU PRÉALABLE :
Mélanger la farine, le sel et le cacao tamisé dans un récipient. Mélanger le sucre en poudre et le sucre glace tamisé dans un autre récipient. Faire fondre le chocolat à feu très doux.

1	Battre le beurre pommade* au fouet électrique dans un grand récipient. Ajouter les sucres et battre encore 1 minute, jusqu'à ce que le mélange soit aéré.	2	Racler les bords du récipient à l'aide d'une maryse. Ajouter le jaune d'œuf, la vanille et le chocolat fondu. Fouetter jusqu'à ce que les ingrédients soient incorporés.
3	Racler encore les bords du récipient avant d'ajouter les ingrédients secs.	4	Mélanger à petite vitesse, jusqu'à ce qu'une pâte se forme. ➢

5 6

7 8

5	Transvaser cette pâte sur un plan de travail propre et lui donner une forme de cylindre d'environ 15 cm de long.	6	Rouler ce cylindre sur le plan de travail pour le rendre plus régulier.
7	L'envelopper dans du film et réserver 1 h 30 (et jusqu'à 3 jours) au réfrigérateur. Avant de sortir la pâte, préchauffer le four à 165 °C. Couvrir deux plaques de papier sulfurisé.	8	Sortir la pâte du réfrigérateur et la poser sur une planche à découper. À l'aide d'un couteau bien aiguisé, enlever les entames et détailler le cylindre en tranches très fines (3 mm).

9

Répartir les disques sur les plaques et les faire cuire en deux tournées, 12 minutes à chaque fois.

POUR LA CUISSON

Couper 20 disques de pâte et les mettre sur une plaque pour les faire cuire aussitôt. Pendant ce temps, couper le reste des tranches que l'on fera cuire pendant que la première fournée refroidit sur la plaque.

LE TRUC

☛ Si la température de la pièce est élevée, couper le cylindre en deux et en remettre une moitié au réfrigérateur pendant que l'on tranche l'autre moitié. Penser à tourner régulièrement le cylindre sur lui-même pour éviter qu'il s'aplatisse.

➢

10 11

12 13

10	Pour la ganache, faire d'abord fondre le chocolat blanc à feu très doux.	11	Ajouter la crème fraîche, mélanger et laisser refroidir environ 15 minutes à température ambiante.
12	Disposer la moitié des biscuits à l'envers sur une plaque et les garnir au milieu d'une cuillerée à café de ganache.	13	Couvrir avec les biscuits restants (à l'endroit) et presser délicatement pour que la ganache s'étale et soit juste visible sur les bords.

14

Mettre les biscuits assemblés au réfrigérateur, dans une boîte hermétique. Les laisser au moins 30 minutes avant de les déguster pour que la ganache ait le temps de figer. Ces cookies se gardent plusieurs jours au réfrigérateur.

VARIANTE AU CHOCOLAT NOIR

Remplacer le chocolat blanc par du chocolat noir et la crème fraîche épaisse par de la crème liquide. Commencer par faire frémir la crème avant d'y ajouter le chocolat (hors du feu). Mélanger. Attendre que la ganache soit à température ambiante pour l'utiliser.

61

SCONES

POUR 10 SCONES • PRÉPARATION : 20 MINUTES • CUISSON : 14 MINUTES

280 g de farine T.55
60 g de beurre froid
40 g de sucre
50 g de raisins secs
1 œuf
160 g de crème liquide (+ un peu pour le lustrage)
12 g de levure chimique
1 grosse pincée de sel

AU PRÉALABLE :
Préchauffer le four à 220 °C. Recouvrir une plaque à pâtisserie de papier sulfurisé. Préparer un récipient avec un peu de farine et un autre avec un peu de crème liquide.

1 2

3 4

1	Dans un grand récipient, mélanger la farine, la levure et le sel. Couper le beurre en dés et le poser sur les ingrédients secs. Sabler*.	2	Ajouter les raisins hachés et mélanger. Former un puits au milieu.	
3	Fouetter l'œuf et le sucre dans un récipient pour obtenir une texture crémeuse. Ajouter la crème liquide et mélanger à nouveau.	4	Verser ce mélange dans le puits. Mélanger à la maryse jusqu'à former une pâte.	➢

5	Fleurer le plan de travail et renverser la pâte dessus. Travailler la pâte rapidement pour qu'elle soit homogène et l'aplatir en une galette épaisse de 3 à 4 cm. Fleurer le dessus et l'égaliser au rouleau.	**CONSEIL** Fariner un emporte-pièce de 5 cm et découper autant de scones que possible (refariner l'emporte-pièce entre chaque).

6	Éviter de pousser le scone pour qu'il tombe sur la plaque, mais le faire tomber de l'emporte-pièce en l'agitant de bas en haut. Brosser la surface des scones avec un peu de crème liquide et enfourner pour 14 minutes. Débarrasser sur une grille.	**SCONES + BEURRE DE FRAISE** Pour 20 scones : 100 g de beurre pommade *, 70 g de confiture de fraises à température ambiante. Fouetter le beurre mou jusqu'à ce qu'il pâlisse. Incorporer la confiture de fraises et fouetter jusqu'à ce que l'ensemble soit homogène (mais pas plus, l'idéal étant de laisser quelques petits « morceaux » de confiture non mélangés). Servir avec les scones tièdes.

SABLÉS FONDANTS AUX NOIX

POUR 10 SABLÉS • PRÉPARATION : 20 MINUTES • CUISSON : 20 MINUTES

100 g de beurre pommade*
120 g de farine T.45 et 2 g de sel
50 g de noix de pécan (éventuellement caramélisées)

20 g de sucre
2 g d'extrait de vanille
2 g de sel
Sucre glace

AU PRÉALABLE :
Préchauffer le four à 170 °C. Couvrir une plaque de papier sulfurisé. Mélanger la farine, le sel et les noix de pécan hachées.

1 2

3 4

1	Battre le beurre pommade* avec le sucre. Ajouter l'extrait de vanille puis le mélange à base de farine. Fouetter pour incorporer.	2	Travailler à la spatule pour obtenir une pâte homogène.
3	Prélever de grosses noix de pâte et façonner 10 boules de la taille de balles de ping-pong.	4	Disposer les sablés sur la plaque. Enfourner pour 20 minutes. Laisser refroidir sur plaque. Recouvrir de sucre glace juste avant de servir.

63

SABLÉS BRETONS

POUR 20 SABLÉS • PRÉPARATION : 30 MINUTES • REPOS : 30 MINUTES • CUISSON : 14 MINUTES

90 g de très bon beurre
90 g de sucre blond
1 jaune d'œuf à température ambiante
125 g de farine T.45
2 g de sel

AU PRÉALABLE :
Mixer le sucre 2 ou 3 minutes au robot pour le rendre plus fin.

Préchauffer le four à 180 °C après le repos de la pâte.

1 2
3 4

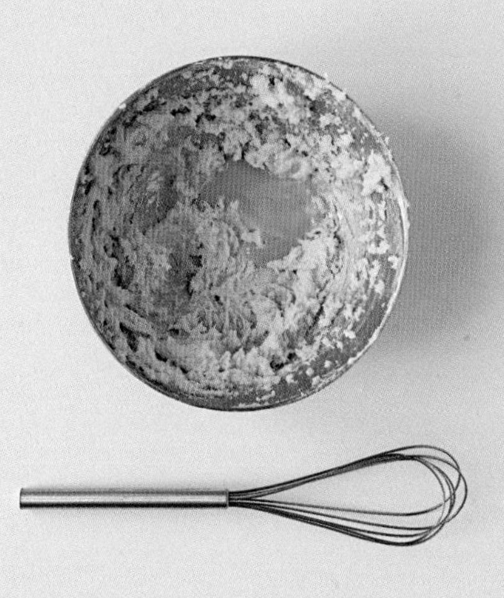

1	Travailler le beurre mou en pommade*.	2	Ajouter le sucre et le sel, battre au fouet électrique, d'abord lentement puis en augmentant progressivement la vitesse.	
3	Battre jusqu'à ce que le mélange soit crémeux (pas trop longtemps pour ne pas chauffer le beurre).	4	Ajouter le jaune d'œuf et mélanger au fouet juste ce qu'il faut pour l'incorporer.	➢

5 6 7

8 9 10

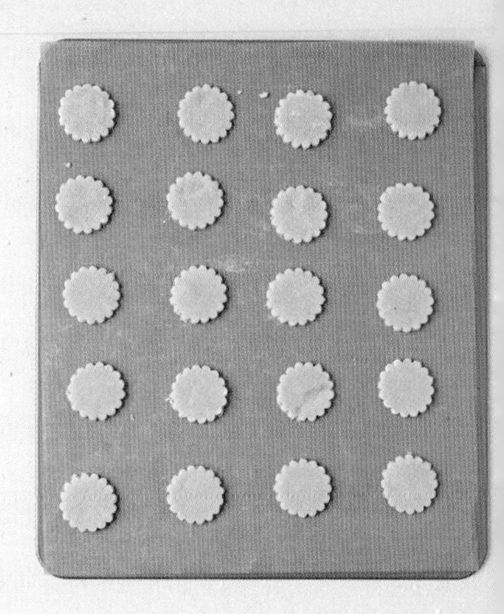

5	Versez la farine sur la pâte et fouetter jusqu'à ce que la pâte se forme.	6	Travailler rapidement ce mélange avec la paume de la main.	7	Former une boule aplatie et l'envelopper dans du papier film. Réfrigérer 30 minutes.
8	Sortir la pâte et l'abaisser* à 5 mm sur le plan de travail légèrement fariné.	9	Découper dedans des petits sablés à l'aide d'un emporte-pièce cannelé de 5 cm de diamètre.	10	Déposer les sablés sur une plaque recouverte de papier sulfurisé. Enfourner pour 14 minutes à 180 °C.

11	Les biscuits doivent colorer* légèrement à la cuisson. Les sortir du four et les laisser sur la plaque en posant celle-ci sur une grille surélevée.	**CONSERVATION** Ces biscuits se gardent à température ambiante dans une boîte en fer (pas totalement hermétique pour laisser l'humidité des biscuits s'échapper). La durée de conservation dépend de l'humidité de la pièce.

BLUEBERRY PANCAKES

POUR 16 PANCAKES • PRÉPARATION : 15 MINUTES • CUISSON : 5 MINUTES

10 g de jus de citron
460 g de lait entier à température ambiante
60 g de beurre
1 œuf à température ambiante*
280 g de farine T.55
25 g de sucre en poudre
12 g de levure (ou 1 sachet)
4 g de bicarbonate
4 g de sel
130 g de myrtilles surgelées (les peser et les garder au congélateur)
Sirop d'érable

AU PRÉALABLE :

Faire fondre le beurre dans une poêle à bords bas. En garder une fine couche dans la poêle pour cuire les pancakes (réserver le reste pour la pâte) et laisser la poêle à feu doux pendant la préparation de la pâte.

1	Mélanger le lait et le jus de citron.	2	Casser l'œuf dans le lait et fouetter.	3	Ajouter le beurre fondu et fouetter.	
4	Mélanger la farine, la levure, le bicarbonate, le sucre et le sel dans un grand récipient.	5	Faire un puits au centre pour y verser les ingrédients liquides. Battre au fouet à main.	6	Arrêter dès que la pâte est homogène (si on bat trop, les pancakes sont secs).	➢

7 8

9 10

7	Monter légèrement la température de la poêle (feu moyen) et verser des louches de pâte pour former des pancakes qui ne se touchent pas.	8	Sortir les myrtilles du congélateur et en parsemer généreusement les pancakes.
9	Laisser cuire jusqu'à ce que des bulles se forment à la surface et que le dessous soit d'une belle couleur blonde (2 minutes maximum).	10	Retourner les pancakes et les cuire sur l'autre face jusqu'à ce qu'elle prenne cette même couleur blonde.

11 Sortir les pancakes de la poêle et les garder au chaud dans le four à 100 °C, directement sur une grille. Préparer d'autres pancakes jusqu'à épuisement de la pâte.

POUR SERVIR

Empiler les pancakes sur les assiettes et les napper de sirop d'érable.

LE TRUC

☛ L'idéal est de travailler avec plusieurs poêles anti-adhésives en même temps pour cuire tous les pancakes en une fois.
Si on travaille avec une seule poêle, plonger un papier absorbant dans le beurre fondu préparé pour la pâte et le réserver dans un bol : on l'utilise ensuite pour graisser la poêle entre deux tournées de pancakes.

PAIN PERDU

POUR 6 PERSONNES • PRÉPARATION : 15 MINUTES • CUISSON : 5 MINUTES

500 g de pain de mie non tranché
2 œufs
35 cl de lait entier

40 g de sucre en poudre
Quelques gouttes d'extrait de vanille
45 g de beurre
2 bananes

1 petite barquette de fraises
Sirop d'érable
Sucre glace (facultatif)

1	Couper le pain de mie en tranches épaisses et les poser à plat sur le plan de travail pour les faire sécher un peu.	2	Dans un grand récipient, casser les œufs, ajouter le lait, le sucre et l'extrait de vanille.	3	Battre au fouet à main pour bien mélanger tous les ingrédients.	
4	Plonger les tranches de pain une à une dans ce mélange, 10 à 15 secondes.	5	Les laisser égoutter quelques secondes au-dessus du récipient.	6	Les poser ensuite à la verticale dans un saladier.	➢

7 Chauffer 15 g de beurre à feu moyen-fort, dans une poêle à bord plat. Quand le beurre commence tout juste à colorer*, poser les tranches de pain de mie à plat dans la poêle. Laisser cuire jusqu'à obtention d'une belle coloration (2-3 minutes).

8 Retourner les tranches de pain de mie et les laisser colorer* sur l'autre face (1-2 minutes).

LE TRUC

☛ L'idéal est d'utiliser plusieurs poêles pour cuire toutes les tranches en même temps.
Si on procède avec une seule poêle, remettre 15 g de beurre dans la poêle entre chaque fournée.

9	Servir le pain perdu avec des tranches de banane et de fraises. Accompagner de sirop d'érable. On peut le saupoudrer de sucre glace.	**PRATIQUE** ☛ On peut préparer l'appareil plusieurs heures à l'avance : une fois que les ingrédients sont bien mélangés, envelopper le récipient dans un film et le mettre au réfrigérateur.

LES TARTES

5

LA PÂTE SABLÉE

POUR 400 G • PRÉPARATION : 15 MINUTES • REPOS : 30 MINUTES

200 g de farine T.45 + 10 g pour le plan de travail
100 g de beurre
20 g d'eau

20 g de sucre
2 g de sel
1 œuf

AU PRÉALABLE :
Poser le beurre coupé en morceaux sur la farine.

1 2

3 4

1	Émietter du bout des doigts le beurre avec la farine (sablage). Faire une fontaine et verser au centre l'eau, le sucre, le sel et l'œuf.	2	Dissoudre du bout des doigts sucre et sel. Incorporer le sablage de l'intérieur de la fontaine : la pâte est assez liquide.
3	Ramener alors le reste du sablage et écraser le tout à pleines mains. Faire une boule sans trop pétrir. Aplatir à la main cette boule à 3-4 cm d'épaisseur et l'envelopper de papier film.	4	La réfrigérer au moins 30 minutes (le fait de l'aplatir permet d'accélérer le refroidissement). Étaler ensuite au rouleau.

67

LA TATIN

POUR 6 À 8 PERSONNES • PRÉPARATION : 25 MINUTES • CUISSON : 1 H 20

200 g de pâte sablée (recette 66)
200 g de sucre
65 g d'eau

60 g de beurre salé
1 kg de pommes vertes acidulées

AU PRÉALABLE :
Préchauffer le four à 220 °C et placer une grille au milieu.

1	Verser l'eau puis le sucre dans la casserole. Fouetter à feu moyen pour faire dissoudre le sucre (recette 09).	2	Porter à ébullition. Dès l'ébullition atteinte, ne plus toucher à la casserole et laisser le caramel colorer*. Il doit prendre une couleur ambrée.	
3	Hors du feu, ajouter le beurre en morceaux et mélanger au fouet jusqu'à ce que le beurre soit incorporé.	4	Verser le caramel dans le fond du moule à manqué.	➢

5 6
7 8

5	Peler les pommes et les couper en quatre. Retirer le cœur.	6	Disposer des quartiers de pomme dans le moule, bien serrés, côté bombé vers le bas. Glisser des quartiers retournés entre les premiers quartiers.
7	Enfourner et laisser cuire 1 heure. Sortir la pâte sablée du réfrigérateur 15 minutes avant la fin de la cuisson des pommes.	8	Abaisser* la pâte et faire un disque de 24 cm de diamètre. Le poser sur les pommes. Faire cuire encore 15 à 20 minutes.

9 Sortir la tatin du four et la retourner immédiatement sur un plat. Laisser tiédir avant de déguster.

OPTION

Servir la tatin tiède. L'accompagner de chantilly maison (recette 14) ou de crème fraîche épaisse.

BON À SAVOIR

Le caramel peut cristalliser (voir photo 4) quand on incorpore le beurre mais il va fondre à nouveau dans le four. Pour éviter la cristallisation : ajouter 1 cuillère à café de jus de citron au mélange eau + sucre.

FLAN PÂTISSIER

POUR 8 PERSONNES • PRÉPARATION : 25 MINUTES • CUISSON : 50 MINUTES

300 g de pâte sablée (recette 66)
1 œuf pour dorer la pâte

POUR LE FLAN :
1 litre de lait entier
220 g de sucre
120 g de maïzena
2 œufs entiers + 1 jaune d'œuf
8 g de vanille
2 g de sel

AU PRÉALABLE :
Préchauffer le four à 200 °C. Beurrer et fariner un moule carré, secouer légèrement pour enlever l'excédent de farine.

1	Abaisser* la pâte sablée à 3 mm d'épaisseur et la mettre en place dans le moule : elle doit déborder un peu sur les côtés.	2	Pincer la pâte pour former une boursouflure qui va l'empêcher de se rétracter en cuisant. Passer le rouleau pour enlever ce qui dépasse.	
3	Piquer le fond avec une fourchette, tapisser la pâte (fond et bord) de papier sulfurisé légèrement beurré et cuire 10 minutes. Retirer le papier sulfurisé.	4	Dorer la pâte à l'œuf battu. La remettre au four 3 à 4 minutes pour la faire sécher. La sortir et régler aussitôt le four sur 220 °C.	➢

5	Verser 75 cl de lait dans une casserole, ajouter le sucre, mélanger et porter à ébullition. Battre les œufs et le jaune en omelette dans un bol.	6	Verser le reste de lait (25 cl) dans un récipient, ajouter la maïzena et fouetter aussitôt. Incorporer les œufs battus, la vanille et le sel.
7	Passer ce mélange dans une passoire à maille fine pour éliminer les germes des œufs (sinon, ils vont coaguler* en cuisant).	8	Quand le lait est à ébullition, le retirer du feu pour verser lentement le mélange aux œufs. Fouetter sans arrêter : la crème va épaissir.

9	Verser la crème sur le fond de tarte et enfourner pour 35 minutes. Sortir le flan du four et le mettre à refroidir sur une grille surélevée. L'envelopper de papier film et le placer au réfrigérateur pour un complet refroidissement avant de déguster.	**VARIANTES** Pour un flan express, on peut se passer du fond de pâte. On peut aussi remplacer l'extrait de vanille par un sachet de sucre vanillé. Dans ce cas, n'utiliser que 210 g de sucre en poudre.

69

TARTE AU CITRON MERINGUÉE

POUR 8 PERSONNES • PRÉPARATION : 30 MINUTES • CUISSON : 25 MINUTES • REPOS : 15 MINUTES

400 g de pâte sablée (recette 66)
2 blancs d'œufs
125 g de sucre et 10 g de sucre glace
24 g d'eau (3 cuillères à soupe)

350 g de crème pâtissière (recette 02)
voir étape 5
Le jus et le zeste de 1/2 citron non traité
1/2 gousse de vanille fendue en deux

AU PRÉALABLE :
Beurrer un moule à tarte (diamètre 28 cm)
et réserver au réfrigérateur.

1	Abaisser* la pâte de manière à obtenir un disque un peu plus grand que le moule. Le piquer d'une vingtaine de coups de fourchette.	2	Attraper délicatement le disque de pâte et le retourner sur le moule (la face piquée vers l'intérieur du moule). Le mettre en place en appliquant bien la pâte contre les parois.	
3	Passer le rouleau sur le moule pour couper la pâte qui dépasse. Mettre 15 minutes au réfrigérateur. Préchauffer le four à 170 °C.	4	Faire cuire la pâte à blanc*, 20 minutes avec des poids de cuisson puis 10 minutes sans. Laisser refroidir.	➢

5	Préparer la crème pâtissière (recette 02) en faisant bouillir le lait avec la gousse de vanille fendue et grattée. Ajouter le jus et le zeste de citron en fin de cuisson. Poser un film directement dessus et laisser refroidir.		

POUR FAIRE LA MERINGUE ITALIENNE

6	Commencer par monter les blancs en neige, en ajoutant à mi-parcours 1 cuillère à café de sucre en poudre.	8	Faire cuire au boulé*. Compter 3 minutes environ. Verser le sucre cuit sur les blancs en neige, en le faisant couler entre le fouet et les bords du récipient. Fouetter 5 minutes à peu près à vitesse minimale pour faire tiédir le mélange.	➤
7	Dans une casserole, mélanger le reste de sucre en poudre avec 3 cuillerées à soupe d'eau. Porter à ébullition.			

9

10

9	Incorporer un tiers de la meringue à la crème pâtissière pour alléger sa texture. Allumer le gril du four.	10	Garnir le fond de pâte refroidie de crème pâtissière. Couvrir de meringue et former des petits pics en surface.

11

Saupoudrer de sucre glace et passer la tarte sous le gril du four (2 minutes maximum) pour faire dorer la meringue.

LE TRUC

Pour faire des pics avec la meringue, donner de légers coups de cuillère en surface.

TARTELETTES KIWI MASCARPONE

POUR 6 TARTELETTES • PRÉPARATION : 30 MINUTES

FOND DE TARTE :
60 g de beurre
30 g de sucre en poudre
100 g de biscuits (de type « thé » de chez Lu)

CRÈME AU MASCARPONE :
170 g de mascarpone
35 g de sucre glace
1/2 sachet de sucre vanillé (4 g)

4 kiwis

1

Réduire en miettes les biscuits en les mixant 30 secondes à 1 minute au robot ménager.

OPTION

Pour écraser les biscuits, on peut aussi les mettre dans un torchon propre et passer un rouleau dessus.

LE TRUC

☛ S'il reste des gros morceaux, les écraser entre les doigts.

2 3
4 5

2	Faire fondre le beurre dans une casserole. Mélanger le sucre et les gâteaux émiettés dans un récipient, verser le beurre fondu par-dessus.	3	Mélanger à la fourchette pour obtenir la texture du sable mouillé.
4	Repartir les biscuits émiettés dans les moules, égaliser avec le dos d'une cuillère et tasser la pâte en pressant un objet plat dessus. Lisser le fond et les côtés avec le dos de la cuillère.	5	Faire raffermir les fonds de tartes au réfrigérateur (le beurre va se solidifier). Pendant ce temps, battre à la fourchette le mascarpone, le sucre glace et le sucre vanillé.

6	Étaler la crème au mascarpone sur les fonds de tartelettes. Éplucher les kiwis et les couper en tranches pas trop fines (8 mm environ). Les disposer en rosace sur la crème. Couvrir d'un film alimentaire et remettre au frais jusqu'au moment de servir.	**ATTENTION** Ne pas laisser les tartelettes plus de 2 heures au réfrigérateur, sinon la pâte va se détremper et ramollir.

TARTELETTES AUX FRAISES

POUR 6 TARTELETTES • PRÉPARATION : 30 MINUTES • CUISSON : 10 MINUTES • REPOS : 30 MINUTES

200 g de pâte sablée (recette 66)
150 g de crème d'amandes (recette 04)
600 g de petites fraises

AU PRÉALABLE :
Préchauffer le four à 220 °C.

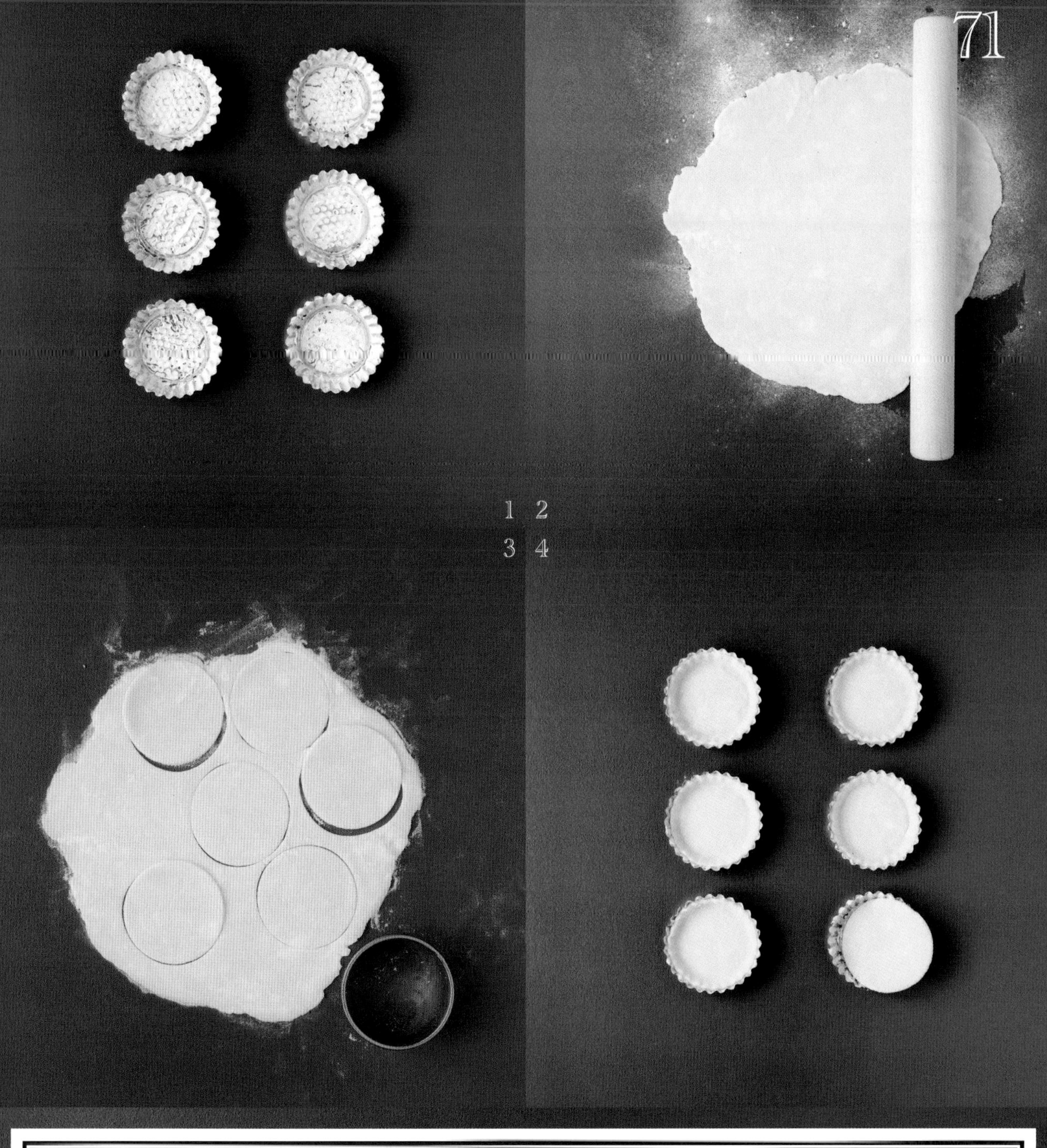

1	Beurrer les moules à tartelettes.	2	Abaisser* la pâte sablée au rouleau.	
3	Avec un emporte-pièce, découper 6 disques un peu plus grands que les moules à tartelettes (10 cm environ).	4	Foncer* les moules avec la pâte et laisser reposer au réfrigérateur 30 minutes.	➢

5 6
7 8

5	Étaler la crème. La lisser avec le dos d'une cuillère et faire cuire 10 minutes au four.	6	Pendant la cuisson, rincer les fraises et les sécher sur du papier absorbant. Les équeuter en coupant la base.
7	Sortir les tartelettes du four et les mettre sur une grille surélevée pour qu'elles refroidissent.	8	Quand elles sont complètement froides, les garnir des fraises.

LE TRUC	OPTION
☛ Choisir des fraises qui font toutes à peu près la même taille. Ne pas prendre les trop grosses fraises qui sont plus difficiles à couper à la cuillère à dessert.	On peut garnir les tartelettes avec des fraises coupées en tranches fines et disposées en rosace sur la crème. Dans ce cas, diminuer de moitié la quantité de fraises.

LES ANNEXES

GLOSSAIRE

TABLE DES MATIÈRES

INDEX DES RECETTES

INDEX PLUS DÉTAILLÉ

REMERCIEMENTS

GLOSSAIRE

ABAISSER
Abaisser une pâte signifie l'étaler à l'aide d'un rouleau à pâtisserie sur une surface farinée, pour lui donner l'épaisseur et la forme voulues. La pâte ainsi obtenue prend le nom d'« abaisse ».
Pour abaisser facilement une pâte, il faut la soulever et la déplacer entre chaque passage du rouleau à pâtisserie. S'assurer en même temps qu'elle ne colle pas au plan de travail et, si c'est le cas, « fleurer » (fariner très légèrement) le plan de travail avant d'y reposer la pâte. Penser aussi à la retourner régulièrement sur elle-même et ne pas hésiter à régulariser les bords avec les doigts (en « soudant » les petites déchirures par exemple) pour que la forme de l'abaisse corresponde bien à la forme voulue.
Pour diviser un pâton en deux, il faut l'abaisser en un rectangle assez fin pour le plier puis couper à l'aide d'un couteau bien aiguisé à l'endroit de la pliure.
Pour bien positionner une abaisse ronde dans un moule, la plier sur elle-même deux fois et placer la pointe du triangle obtenu au centre du moule. Déplier ensuite l'abaisse et « foncer » le moule avec la pâte en la pressant bien dans les angles.

AROMATISER
Ajouter un parfum sous forme liquide (extrait de vanille par exemple) ou solide (cacao en poudre par exemple) dans une préparation.

BALANCE ÉLECTRONIQUE
Instrument indispensable en pâtisserie (avec la maryse et le film plastique), elle permet de peser avec précision les plus petites quantités (ainsi que les grandes, bien entendu). En effet, quelques grammes de sel ou de levure en trop peuvent se révéler très nuisibles au goût et à la texture de la préparation finale.

BAIN-MARIE
Le bain-marie est un procédé qui permet notamment de cuire une préparation sous l'effet d'une chaleur plus douce que si on l'expose directement à la chaleur. Pour cela, placer la préparation dans un récipient au-dessus d'un autre récipient, de même taille ou un petit peu plus grand, contenant de l'eau en ébullition.
Lorsque le bain-marie se fait dans un four, cela empêche la préparation de se dessécher grâce à la diffusion continue de vapeur. Pour cela, inutile de plonger le récipient directement dans l'eau bouillante : il suffit de placer un récipient creux (une lèchefrite par exemple) en dessous de la grille sur laquelle la préparation sera posée puis de préchauffer le four. Verser l'équivalent d'une petite casserole d'eau très chaude dans le récipient creux juste avant d'enfourner la préparation.
Le bain-marie est aussi recommandé pour décongeler des fruits congelés. Pour cela, les placer dans un récipient et couvrir de film alimentaire. Placer le tout au-dessus d'une casserole d'eau bouillante et laisser le temps nécessaire (10 minutes pour des fruits rouges) en mélangeant à mi-parcours. Cette méthode permet aux fruits de garder leur jus et leur couleur pendant le processus de décongélation.

BEURRE
Sauf mention contraire, le beurre utilisé dans les recettes de ce livre est du beurre doux.

BICARBONATE
Cette poudre est très utilisée (seule ou en complément de levure chimique) dans les recettes de pâtisseries anglo-saxonnes. En France, on trouve le bicarbonate dans les grandes surfaces (à côté du sel).

BOULÉ

Le boulé correspond à un degré de cuisson du sucre. Lorsque l'on soumet du sucre blanc à l'action de la chaleur, sa teneur en eau va s'évaporer. La température du sucre va monter et il va se transformer progressivement en caramel.

Toutes les étapes de cette transformation ont des noms techniques mais seule celle du boulé est retenue dans ce livre. En effet, les stades avancés de la cuisson du sucre peuvent s'apprécier à leur simple couleur : un caramel plus ou moins foncé. Par contre, les premiers stades de cuisson du sucre ne sont pas colorés, mais l'on peut mesurer leur température (lorsque l'on n'a pas de thermomètre adapté) en prélevant un peu de sirop avec une cuillère et en le faisant tomber dans un bol rempli d'eau très froide. Si le sirop se transforme en boule, il est à la bonne température pour une meringue italienne ou une crème au beurre, par exemple. Si cette boule est molle, le sirop est un peu moins chaud que si la boule est dure. L'idéal est d'avoir une boule dure, mais le sucre passe si vite d'une étape à une autre qu'il vaut mieux utiliser le sucre dès que l'on voit la boule se former pour ne pas risquer d'avoir un sucre trop cuit.

CARAMEL

Le caramel est ce que l'on obtient lorsque l'on cuit du sucre blanc, passé les premiers stades de cuisson où le sucre n'est encore qu'un sirop.

Pour cela, utiliser une casserole à fond épais pour des raisons de sécurité (la casserole doit être résistante pour supporter les températures très élevées que le caramel atteint) et pour que la chaleur se diffuse de façon homogène. Verser de l'eau dans cette casserole, puis ajouter le sucre. Ne jamais mettre plus du 1/3 du poids du sucre en eau (donc, pour 100 g de sucre, compter 33 g d'eau maximum). Faire chauffer sur feu moyen. Dissoudre le sucre avec un fouet en prenant soin de ne pas projeter le mélange sur les parois de la casserole. Porter à ébullition quand le sucre est dissous, mais surtout pas avant (car le sucre encore solide à l'ébullition ne se dissout plus après). Laisser le sirop se concentrer sans y toucher. Au-delà de 150 °C, il se transforme en caramel ; il commence alors à se colorer.

Pour arrêter la cuisson, il faut soit retirer la casserole du feu quelques secondes avant le stade de coloration désiré (le caramel va continuer à colorer hors du feu), soit plonger le fond de la casserole quelques secondes dans de l'eau froide. Cette dernière méthode présente l'inconvénient de refroidir le caramel et donc de l'épaissir, ce qui le rend moins « maniable » qu'un caramel liquide.

COAGULER

Il y a coagulation quand certains constituants d'un ingrédient liquide s'agglutinent pour former une masse plus compacte.

En pâtisserie, cela arrive parfois lorsque l'on soumet une préparation à base d'œufs à l'action de la chaleur. Or, c'est rarement le résultat recherché car la coagulation va affecter un ingrédient de la préparation (l'œuf, par exemple) et non la préparation dans son ensemble (la crème anglaise par exemple) : elle sera donc granuleuse et non-homogène.

COLORER

Ce stade de cuisson indique le passage de la couleur initiale de la préparation à une autre couleur sous l'effet de la chaleur. Il y a coloration dès que la couleur initiale s'est transformée en une autre couleur ; cela peut aller du blond très clair au brun très foncé.

CUISSON À BLANC

Ce terme désigne la cuisson, complète ou partielle, d'une pâte à tarte avant de la garnir. Cette pré-cuisson évite à la pâte d'être détrempée par l'humidité de l'appareil ou des fruits qui vont lui être ensuite ajoutés.

ÉBULLITION/FRÉMISSEMENT

Une préparation est en ébullition lorsqu'elle est soumise à l'action d'une chaleur vive et que de grosses bulles apparaissent à la surface. Dans ce cas, la préparation est à une température plus élevée que celle du frémissement, où seules de toutes petites bulles se forment en surface.

FARINES

Les farines utilisées dans ce livre appartiennent à deux catégories : « type 45 » (T.45) et « type 55 » (T.55). Traditionnellement, les farines « type 45 » sont réservées à la pâtisserie et les farines « type 55 » sont utilisées en boulangerie.
Or, en pâtisserie, on peut distinguer les préparations qui relèvent de la famille des pains (banana bread, pancakes...) des autres pâtisseries (pâtes à tarte, biscuits...) qui n'ont pas les caractéristiques du pain.
Dans le cas des premières, la texture présente une éventuelle « croûte » à l'extérieur et un intérieur très moelleux. Pour toutes les pâtisseries qui relèvent de la famille des pains, une farine « type 55 » donne de meilleurs résultats (tenue, structure, gonflé, légèreté) qu'une farine « type 45 ».
Ces deux types de farines se trouvent facilement chez tous les commerçants. Parmi les farines « type 45 », on a le choix entre les farines tamisées (dites « fluides ») et les farines non tamisées.

FILM PLASTIQUE

Le « papier film », ou cellophane, est un outil indispensable en pâtisserie (avec la maryse et la balance électronique). Il permet de mettre une « barrière » entre la préparation et l'air, ce qui la protège de l'oxydation et de ses conséquences : dessèchement (donc « croûtage »), altération de la couleur, contamination microbienne...
Certains professionnels « filment au contact » toutes leurs préparations, c'est-à-dire qu'ils posent le papier-film directement sur la préparation.
Dans ce livre, cette technique est surtout recommandée pour la crème pâtissière, qui a tendance à « croûter » dès la fin de sa cuisson. Le reste du temps, on peut se contenter d'appliquer le papier-film au-dessus du récipient qui contient la préparation.

FLEURER

Lorsque l'on abaisse une pâte, il faut fleurer régulièrement le plan de travail pour empêcher la pâte d'y adhérer tout en évitant que trop de farine s'incorpore à la pâte. Pour cela, jeter quelques pincées de farine sur le plan de travail.

FONCER

On fonce un moule à tarte en appliquant une pâte contre son fond, ses angles et ses parois.

HOMOGÈNE

Une préparation est homogène lorsque sa texture est uniforme. Cela ne veut pas forcément dire lisse : une texture homogène peut être granuleuse, mais elle doit être alors uniformément granuleuse.
Lorsque c'est une texture lisse qui est recherchée, nous le précisons dans la recette.

MARYSE

C'est le terme employé par les professionnels pour désigner une spatule en plastique souple. La maryse est un outil indispensable en pâtisserie (tout comme la balance électronique et le papier-film). Elle permet de racler parfaitement un récipient, par exemple lorsque l'on cherche à le vider pour mélanger son contenu à un autre. En pâtisserie, chaque gramme d'un ingrédient a son importance (voir « Balance électronique ») et, grâce à la maryse, on ne risque pas d'en laisser sur les parois du récipient. La souplesse de la maryse permet aussi de mélanger délicatement la plupart des préparations, notamment celles à base de blancs en neige (voir « Œufs ») ou de farine (voir « Mélange »). Aucun autre ustensile ne permet de faire ce travail aussi délicatement.

MÉLANGE

La plupart des recettes de pâtisserie procèdent ainsi : mélange des ingrédients secs d'un côté, mélange des ingrédients liquides de l'autre, puis mélange des deux types d'ingrédients.
Le mélange des ingrédients secs ne pose en général aucun problème (à condition que chaque ingrédient soit correctement pesé) ; il peut même se préparer à l'avance et être conservé un jour ou deux dans un sac ou une boîte hermétique.
Le mélange des liquides entre eux peut en revanche se révéler plus délicat car ces ingrédients sont souvent à des températures différentes (beurre fondu encore chaud, œufs sortis du réfrigérateur, lait froid...) ; or, la température d'un ingrédient peut agir sur un autre (le beurre fondu fige lorsqu'il est versé dans le lait froid, par exemple), ce qui nuit au bon mélange des ingrédients. Il est donc important que la quasi-totalité des ingrédients liquides soient à la même température avant qu'on les mélange.
Pour réchauffer un œuf, le plonger 1-2 minutes dans un bol rempli d'eau chaude. Pour réchauffer du lait, le tiédir dans une casserole sur feu doux. Pour refroidir du beurre fondu, le verser dans un récipient froid...
Autre étape délicate : le mélange des ingrédients secs avec les ingrédients liquides. C'est à ce moment que la levure chimique commence à faire son effet, mais celui-ci ne dure pas très longtemps ; une fois que les ingrédients secs et les ingrédients liquides ont été mélangés, il ne faut pas attendre avant d'enfourner la préparation. Par ailleurs, lorsque la farine est en contact avec un élément liquide et qu'elle est « travaillée » avec un instrument, elle développe un réseau de gluten indispensable à la structure de la pâte mais susceptible de transformer le gâteau en pierre si ce réseau de gluten est surdéveloppé. C'est pourquoi il est souvent proscrit d'utiliser un fouet électrique pour mélanger ingrédients liquides et ingrédients secs ; il est au contraire recommandé de travailler délicatement et le moins possible à l'aide d'une maryse.

MESURES

La plupart des balances électroniques ne sont pas équipées d'unités de mesure pour les ingrédients liquides (en millilitres). Nous avons donc choisi de mettre les petites mesures d'ingrédients liquides en grammes.
Sachez que 1 litre d'eau (1 000 ml) pèse 1 kg (1 000 g ou 100 cl). Donc 15 g = 15 ml ou 1,5 cl. Attention ! cette équivalence n'est pas exacte pour tous les liquides : l'huile, notamment, pèse un peu moins que l'eau alors que le lait pèse un

tout petit peu plus. Mais, dans la plupart des cas, la différence est infime et l'on peut s'autoriser à l'approximation 1 g = 1 ml, quel que soit l'ingrédient liquide. D'autant que ces liquides ont rarement un effet aussi puissant que les ingrédients solides dans la « chimie » de la pâtisserie.

NAPPAGE
Il y a nappage lorsqu'une préparation liquide a atteint (le plus souvent sous l'effet de la chaleur) une consistance suffisamment épaisse pour couvrir la surface de l'objet qui y a été trempé. La cuillère, par exemple, n'est plus visible par transparence et se trouve uniformément couverte par la préparation. C'est la texture recherchée pour une crème anglaise ou le lemon curd.

ŒUFS
Dans les recettes de ce livre, nous utilisons des œufs de gros calibre : environ 70 g avec coquille et 60 g sans coquille.
Dans le cas où il faut diminuer de moitié les quantités des ingrédients, on peut être amené à diviser en deux un seul œuf. Pour faciliter cette opération, casser l'œuf, le battre en omelette et n'en utiliser que la moitié. Pour plus de précision, se servir d'une balance électronique : un gros œuf divisé par deux pèse 30 g.
Contrairement à une idée reçue, il ne faut pas battre les blancs en « neige ferme » si l'on doit les incorporer à une préparation. En effet, la neige ferme a tendance à former des « blocs » difficiles à incorporer et le mélange supplémentaire que cela implique fait retomber la neige. Il est donc recommandé, notamment dans le cas de la mousse au chocolat, de monter les blancs en neige « souple ». Pour cela, les travailler rapidement avec une maryse pour les assouplir et casser les « blocs » éventuels.

POMMADE
En pâtisserie, le terme « pommade » est utilisé pour décrire un beurre dont la texture est devenue souple mais encore un peu ferme (plus ferme qu'une pommade, en fait...). Cela permet de le mélanger à d'autres ingrédients sans lui faire perdre sa structure (contrairement à du beurre fondu) et d'y incorporer de l'air lorsqu'il est fouetté.
Pour cela, deux méthodes sont efficaces. Commencer par couper le beurre en petits morceaux afin d'accélérer et d'homogénéiser son tiédissement. Première méthode : on laisse le beurre à température ambiante le temps suffisant pour que le doigt s'y enfonce facilement ; cela peut prendre 20 minutes à plusieurs heures selon la température de la pièce.
Seconde méthode : on place le beurre en morceaux dans un récipient résistant à la chaleur que l'on pose sur une casserole d'eau bouillante tout juste retirée du feu. Laisser le récipient quelques secondes au-dessus de cette source de chaleur puis le retirer et travailler le beurre à la spatule jusqu'à ce qu'il soit « en pommade ». Si le travail est trop difficile, remettre le récipient quelques secondes sur la casserole d'eau chaude.

POCHE À DOUILLE
Pour la garnir, commencer par glisser la douille au fond de la poche puis boucher la douille en y rentrant un peu de la poche. Tenir la poche dans la main gauche (si on est droitier) et retrousser le haut de la poche sur sa main. Garnir la poche de pâte avec sa main libre. Fermer la poche en la

tenant à l'envers (la douille vers le haut) et « visser » jusqu'à ce que la pâte commence à sortir par la douille. Presser pour faire sortir la pâte tout en « vissant » régulièrement la poche pour qu'elle soit toujours bien serrée.

PRÉCHAUFFAGE

Penser à préchauffer son four à une température de 20 °C supérieure à celle voulue pour la cuisson. En effet, le seul fait d'ouvrir la porte du four et d'y introduire une masse plus froide fait perdre ces 20 °C. Ainsi, la cuisson peut commencer à la bonne température. Ajuster le thermostat une fois la préparation enfournée.

SABLER

Le « sablage » est obtenu en mélangeant du bout des doigts des petits morceaux de beurre avec de la farine. Ce geste permet d'enrober chaque grain de farine avec du beurre et l'on obtient petit à petit une préparation de couleur ivoire dans laquelle des particules de beurre subsistent. Pour éviter de réchauffer le beurre, il faut que ce mélange se fasse un peu au-dessus du reste de farine et de beurre : en soulevant et en laissant retomber ce mélange, on l'aère et ainsi on le refroidit.
Pour réaliser une pâte sablée, il faut ensuite mettre le mélange ivoire en fontaine et verser au centre l'eau, le sel et le sucre. Dissoudre du bout des doigts le sel et le sucre dans l'eau. Ajouter ensuite l'œuf battu en omelette. Le mélanger aux ingrédients liquides, toujours du bout des doigts. Incorporer progressivement le sablage de l'intérieur de la fontaine au mélange liquide, jusqu'à obtention d'une texture de pâte à crêpe grumeleuse. Rassembler tout le sablage vers l'intérieur et écraser le tout à pleines mains : la pâte se forme. Pétrir rapidement et le moins possible en écrasant cette pâte avec la partie dure de la paume de la main, puis former une boule de pâte. Aplatir cette boule à 3-4 cm d'épaisseur et l'envelopper de papier-film. Réfrigérer au minimum 30 minutes.
On peut aussi sabler dans un robot muni d'une lame : placer la farine et le beurre en dés dans la cuve puis mettre en marche le robot pendant quelques secondes. Ajouter ensuite le mélange eau-œuf dans lequel ont été dissous le sel et le sucre. Remettre le robot en marche quelques secondes, juste le temps qu'une pâte se forme. La transvaser sur le plan de travail, la travailler un tout petit peu avec la paume de la main et terminer comme indiqué ci-dessus.

SIPHON

Un siphon est une bouteille d'aluminium contenant, sous pression, un liquide gazéifié par du gaz carbonique. En actionnant le levier qui commande l'écoulement du liquide par l'intermédiaire d'un tube plongeant à l'intérieur, le liquide gazéifié sort sous forme mousseuse. Cela permet notamment de transformer instantanément de la crème liquide sucrée en chantilly.

TAMISER

Tamiser une farine consiste à lui enlever ses grumeaux en la faisant passer à travers un tamis (ou une passoire à maille très fine). C'est une étape vivement recommandée pour la plupart des recettes et c'est pourquoi il est plus pratique d'acheter sa farine déjà tamisée.

TABLE DES MATIÈRES

1

LES CRÈMES ET CIE

LES CRÈMES

LES SAUCES ET LES TOPPINGS

2

LES GÂTEAUX TOUT SIMPLES

LES GÂTEAUX CLASSIQUES

LES GÂTEAUX AU CHOCOLAT

MADE IN U.S.

3

LES GÂTEAUX EN KIT

PÂTE À CHOUX

FEUILLETÉ

LES CHEESECAKES

LES GÂTEAUX FOURRÉS

4

LES PETITS GÂTEAUX

5

LES TARTES

INDEX DES RECETTES

INDEX PLUS DÉTAILLÉ

REMERCIEMENTS

Merci à Emmanuel Le Vallois de m'avoir accordé sa confiance pour un si beau projet.

Merci à Sonia et Fred Lucano pour leur superbe travail et leurs encouragements lorsque je doutais.

Merci à Rose-Marie Di Domenico pour avoir orchestré en douceur ce projet.

Merci à Jérôme, pour son aide (beaucoup de vaisselle !) et pour avoir goûté toutes les pâtisseries que je lui présentais, à n'importe quelle heure du jour et de la nuit...

Merci à Véronique Magnier pour ses livres et ses recettes dont j'ai hérité.

Merci à magimix pour le prêt du mixeur.
www.magimix.com
Service consommateurs : 01-43-98-36-36

magimix

Shopping : Emmanuelle Javelle
Mise en page : Alexandre Nicolas
Relecture et préparation des textes : Elisabeth Boyer

ISBN : 978-2-501-05195-8
Codification : 4090015 /06
Dépôt légal : mai 2011
Imprimé en Espagne par Graficas Estella